ュニティが存在し続ける理由があるかどうか、ということになる。

また、二〇二三年は複数の国内大手企業もｗｅｂ３に参入し、本格的にｗｅｂ３時代に突入する「はじまりの年」と言われている。ｗｅｂ３ビジネスとは一言で言うとＮＦＴや暗号資産のホルダーを巻き込んだコミュニティビジネス。インターネット黎明期のように、さまざまな局面を経て、当たり前のインフラになっていくだろう。そのときにはｗｅｂ３を象徴するＮＦＴや暗号資産などの技術、ブロックチェーンだけではなくメタバースに使われる３ＤＣＧやＶＲ（仮想現実）・ＡＲ（拡張現実）デバイス、ＡＩ（人工知能）やブレインテック、通信速度の向上など、普及スピードの差はあれどさまざまなテクノロジーが交錯・融合していくことは間違いない。

さらに、このメタバースが普及し、メタバース同士がつながるということは、さまざまなコミュニティでさまざまな人格を操るマルチバース時代がくるということ。そのような時代に訪れるのは「メタバース間や現実を行き来することで人生を豊かにする」という発想である。テクノロジーと寄り添いながら人間らしいアクションをしていくことが豊かさにつながっていく。「メタバース上の私は、現実の私と何が違うのか」という問いも自然に生まれるだろう。その感覚をナラティブに表現するため、本書では小説形式のフィクションとして表現する次第となった。

舞台は二〇三五年のｗｅｂ３メタバース上の仮想都市コミュニティで展開される。現在、世界には複数のメタバースプラットフォームがあり、次世代のＳＮＳとして目下世界中で覇権争いが行われている。本書のストーリーは、それら二〇二三年現在の情勢を踏まえ、ときに実在する名称や技術、そしてある種のオマージュも織り交ぜながら、最新のｗｅｂ３テクノロジーが浸透した一二年後の未来予測を踏まえて制作していった。今後、世の中に普及するスピードに差はあるとは思われるが最先端の技術やサービスをできるだけ入れ、現状の延長線上から予測できる要素もふんだんに入れたので、そのような楽しみ方もできる本になっていると思う。

現在より一二年先の未来の生活を描くのは至難だったが、一つ言えるのはテクノロジーの進化が進み生活は豊かになる一方で、「人間らしい豊かさとは」について考えるときが来ているということだ。ホモ・サピエンスが誕生し、生き残りをかけて発展していく過程で発明したものに「テクノロジー」や「フィクションを信じる力」がある。我々の生活は豊かになり今やインターネットなしでは生きられない。そして皮肉にも人間が生み出した人工知能は今、人間の知能を超えつつある。

豊かになるために発明したはずが、テクノロジーに我々が支配されることで豊かでなくなる世界になるかもしれない、ではこれからのｗｅｂ３時代で我々はどうするべきなのかという問いに対して考えなければいけないのだ。

挑戦的な試みではあるが、これからｗｅｂ３時代を生き抜く事業者やビジネスマン、クリエイター、若者にとって、そんな未来を具体的にイメージしてもらうきっかけや羅針盤のような存在になったらこの上なくうれしく思う。

二〇二三年三月末　天羽健介

CONTENTS

装丁
天池 聖 (drnco.)

装画
jyari

構成
山田宗太朗

主要登場人物

モモ（サラ）……二八歳。ヨガインストラクター。幼い頃に空手を習う。アメリカ人の父と日本人の母を持つ。本名、田中スミス桃。

コウタ（パーシヴァル）……三二歳。エンジニア兼ビジネスアドバイザー。大学時代にブロックチェーンゲーム会社を創業。現在はモニカ・ブランド社はじめ複数の企業・プロジェクトで働く。

ユウ（テレサ）……二七歳。ＩＴ企業勤務。コウタの元部下。複数のＳＤＧｓプロジェクトに参加。モモのヨガクラス受講者。

リク（サム）……三四歳。大手ネット企業で新規事業を行う。妻子持ち。「ＳＢＹ」コミュニティマネージャー。

ケン……三五歳。イベントプロデュース会社「ハーモニアス・カコフォニー」代表。モモの元恋人。

ヤン・マルク・シュウ……五〇歳。ウィーン生まれの香港人。ＮＦＴ・ＶＲ・ブロックチェーン関連企業モニカ・ブランド社創業社長。

セリーヌ・チョウ……三〇歳。モニカ・ブランド社パートナーシップ担当ディレクター。ヤン・マルク・シュウの右腕。

PROLOGUE

二〇三五年、渋谷

警報が鳴り響き、火事だ、と身構えたところで目が覚めた。

肩と首に鈍い痛みがある。暗闇の中、何度かまばたきをしながら身体の力を抜く。硬直した身体が元に戻ると、こめかみを触り、角膜に埋め込まれたXRコンタクトレンズをオンにした。目に光が灯り、眼球から三〇センチ離れた空間にARのバーチャルディスプレイが立ち上がってホーム画面が浮かび上がる。画面の片隅に「AM3：50」と表示されていた。起床時間まであと一〇分。ヤン・マルク・シュウはため息をついた。また悪夢にうなされて少しだけ早く目覚めてしまったか。

「Beleuchten」とドイツ語でつぶやくと、ベッドサイドに設置した間接照明がオレンジに光る。数秒かけて目への刺激を弱めてから、昨日寝る前に読んでいた日本語の小説をディスプレイに表示させる。三〇年前に出版された日本のSF小説で、北朝鮮の反乱軍を名乗る武装コマンドが福岡を侵略・占領しようとする話だ。友人に勧められて数日前から時間を見つけては少しずつ読み進めていた。まだ三分の一程度しか読んでいないが、有事の際に最優先事項を決められない日本政府の対応や、目の前の緊張や恐怖から目を背けようとして薄笑いを浮かべるだけの一般市民の反応などが興味深い。起床までの残り一〇分は読書に当てよう。

シュウは生まれ故郷オーストリアの公用語であるドイツ語の他、自身のルーツである広東語や北京語、さらには英語、フランス語、スペイン語、イタリア語、それに加えて日本語と、八つの言語を操る。数年前に拠点を本格的に東京に移して以降は、プライベートの読書はすべて日本語にすると決めていた。

午前四時。自動で設定していた窓のブラインドがゆっくり上がり始める。シュウはディスプレイに表示していた小説をスワイプして消し、ベッドから抜け出す。寝室を出てキッチンに向かい、まずはコップ一杯の白湯で体内を温める。湯は起床時間の五分前に沸くよう設定してある。

飲み終わるとバスルームへ向かい、熱いシャワーを浴びる。シャワーを終えてバスタオルで身体を拭き、洗面台で歯を磨き終えると、クローゼットに向かう。シュウのクローゼットには同じ服が何着も収められている。白いTシャツ、薄手のグレーのジップアップ、グレーのアウトドアパンツ。これがいつものスタイルだ。一〇年前、メタバース用につくったデジタルファッションをNFT化し、パターン違いの３ＤモデルをＡＩに大量生成させて販売したことがあった。これをデジタルツインにして現実世界のアパレルに落とし込んだものがこの服だ。メタバースから現実世界へのアイテムの持ち出しが実現したのは大きな一歩だったが、シュウ個人にとっては、妻がこのファッションを誉めてくれたことの喜びが意外なほど大きかった。どこを気に入ってくれたのかはわからないし、妻にとってはただの気まぐれだったのかもしれない。しかし彼にとって妻の言葉は何よりも重要だった。以来、何度も新調しながら同じ服を着続けている。

服を着てベランダに出る。外はまだ薄暗く、空には星が輝いている。目の前には渋谷・桜丘の街が広がっているが、この時間は３Ｄ広告もホログラム広告も消えている。手前の三棟の高層ビルと奥の渋谷ストリーム、さらにその奥のスクランブルスクエアにはまばらな明かりがついてぼんやりと街を照らしているが、まだ街は眠っているように見える。一一月の早朝の空気は少しだけ肌寒かった。しかしオーストリア生まれのシュウにとっては、気温も湿度もちょうどいい。ヨガマットに座り、目を閉じて座禅を組む。朝の瞑想だ。自分の呼吸に集中して、身体中を流れる血や細胞の一つひとつを観察し、自分をまっさらな状態にする。そうして自分の内なる心と向き合う。朝の大切なルーティンだ。

瞑想を終えると、昔から使い続けているハーフリムの度なしの眼鏡をかけ、再びコップ一杯の白湯を飲みながら、妻と朝の短い会話を楽しむ。おはよう、今日の調子はどうだい？　私は順調だよ。今日の予定は……。

午前五時、シュウは玄関でスニーカーを履き、部屋を出てエレベーターに乗り込む。渋谷界隈ではもっとも新しいタワーマンションの最上階から一階へ降り、マンションの外に出ると、細身のショートカットの女性が待っていた。シュウが学生時代にゲーム会社として創業し、今ではＮＦＴ・メタバース・ブロックチェーン関連で世界のトップ企業になったモニカ・ブランド社で役員を務める、セリーヌ・チョウだ。彼女はまだ三〇歳でシュウより二〇も若いが、香港大学を卒業したあと日本やシンガポールのテック系企業でキャリアを積み、香港でスタートアップを創業した秀才で、数年前にシュウがスカウトして役員に抜擢したのだった。今や彼の右腕だと言える。セリーヌも最近、活動拠点を東京に移した。

「おはようございます、ボス」

シュウは笑顔になり、広東語でセリーヌにあいさつを返す。今日は今後の社運を賭けたとある計画のための幹部会議があるため、その前にセリーヌと打ち合わせがしたかった。彼女を信頼しているし、彼女の意見が聞きたかったからだ。だがセリーヌの予定は埋まっていて、当日の早朝にしか空きがなかった。「朝五時にマンションに伺うので、会社まで短いドライブをしませんか。ＭＩＳ

SANアリナの最新モデルが納車されたのに、まだ乗る機会がないんです。そのあとオフィスで打ち合わせしましょう」と提案したのはセリーヌだ。彼女も渋谷に住んでいて、朝早くから活動する。

シュウはセリーヌと一緒に、彼女の新しい自動運転車の後部座席に乗り込む。セリーヌが「会社まで」と告げると、車はゆっくりと自動運転を開始する。

シュウはXRコンタクトのバーチャルディスプレイに今朝のニュースを映しつつ、セリーヌからの共有事項を頭に入れる。モニカ・ブランド社の現状、ブレインテック企業との連携など、いくつかの共有が続いた後、セリーヌが一息入れて、こう言う。

「マルチブレイン計画の件ですが、やはり、あのメタバース都市の可能性が高いようです」

「そうですか……」

シュウは眉間に皺を寄せて考える。やはり、難しい選択をすることになるかもしれないな。だとしたら早いほうがいい。あまり時間はないのだから。

ふたりを乗せた自動運転車はさくら坂から井の頭通りを抜け、代々木公園を一周し、再び渋谷方面に戻る。道玄坂に入り、一五階建てのガラスウォールのビルの前で止まる。ここにモニカ・ブランド社の東京オフィスが入っている。ふたりが後部座席から降りると、車は自動運転を再開してセリーヌの家に戻っていく。

エントランスの自動ドアが開き、セリーヌは中に入る。だがシュウはエントランス前で立ち止まり、何か真剣に考えているようだ。「どうしましたか?」とセリーヌはビルの中から声をかける。そう声をかけはしたが、シュウの鋭い目を見て、彼が何か強い決心をしたのだとセリーヌは理解する。

「君の意見を聞いてからと思っていたんですが……決めました」シュウはエントランスの外側から、セリーヌの目をまっすぐに見て宣言する。

「計画を実行に移します」

NFT時代のコミュニティ

彼女の名はモモ。二八歳。ヨガインストラクターをしている。一〇分後にクラスがあるが、彼女は自宅にいる。まだ着替えてもいないし、メイクもしていない。それでも焦ることなくシングルベッドに横たわり、**XRコンタクト**に映るバーチャルディスプレイを操作して、**メタバース**にログインする。

メタバースデバイスは当初、重たいゴーグルやヘッドセットとして登場した。没入感が売りだったものの、デバイス自体の重さや大きさ、価格の高さから普及がなかなか進まなかった。しかし、急速に普及するコンテンツの後を追いかけるように高性能**AR**グラスが登場して大幅な軽量化に成功すると、その当然の帰結としてARグラスはコンタクトレンズへと超小型化した。マイクや出力スピーカーも超小型化したため、

XRコンタクト
「XR」とはクロスリアリティのことで、VR（仮想現実）、AR（拡張現実）などの総称。本作では装着することで現実にはないバーチャルディスプレイなどを表示するコンタクトレンズを指す。VRモードとARモードに切り替えが可能。

AR
Augmented Reality=拡張現実。デバイスを通すことで現実にはない映像などを表現する機能。

ウェブやメタバースへのアクセスはもちろん、音声通話やボイスチャット機能などもコンタクトレンズに集約されている。近年では、ＸＲコンタクトを角膜に直接埋め込んで取り外しができないようにすることが主流になった。ほとんどの人がＸＲコンタクトからクラウド上の**ウォレット**にアクセスし、そのウォレットに自分のＩＤを保管するなど、身元証明や決済などもＸＲコンタクトをベースに行われる。

モモがメタバースにログインしようとすると、ＸＲコンタクトがウォレットに登録されたＩＤと生体情報を認識し、**ボディシェアリング**が始まった。次の瞬間、モモの身体は脱力し、半開きになった目がグレーに光る。気を失ったのではない。彼女の意識は今、メタバース都市・OASIS TOKYOにある。OASIS TOKYOは二〇二二年ごろからスタートした日本発のメタバース都市で、住人には「OASIS」の愛称で知られている存在だ。

モモはメタバース上のいつもの部屋で目覚める。現実世界における自分の部屋の写真を取り込み、ＡＩによって３Ｄモデルを生成した空間だ。シングルベッドが一つと、三段カラーボックスだけのシンプルなワンルーム。カラーボックスにはモモの大好きなＫ－ＰＯＰグッズが詰まっていて、いちばん上には家族写真の入ったデジタルフォ

メタバース
「超（メタ）」と「宇宙（ユニバース）」を組み合わせた造語。広義では三次元の仮想空間を指す。１９９２年にアメリカのＳＦ作家・ニール・スティーヴンスンが発表したＳＦ小説『スノウ・クラッシュ』で登場した。

ウォレット
暗号資産やＮＦＴなどを管理するためのソフトウェア。本作では決済機能のほか、ＩＤ管理などもウォレットに集約されている。ｗｅｂ３時代に必須のツール。

ボディシェアリング
実際の肉体とアバターとで身体感覚を共有する技術のこと。体験の拡張とも。

トフレームが飾ってある。父が運営する空手道場で撮った、父、母、モモの家族三人の写真。どこにでもある、ありふれた家族写真だ。あくまでも自分だけの休息の場所だから、あまり物は増やさないようにしている。それに、メタバース内のアイテムにも現実世界と同じように値段がついていて、アイテムによっては現実世界よりも高価だったりする。お金に困っているわけではないが、お金に頼って物を増やすことはしない。モモはいつもここで**ログアウト**し、またここにログインする。

バーチャルな世界ではあるが、現実とほとんど見分けがつかないほど精巧だ。3Dのモデリング技術やAI、デバイス、通信速度が進化していくにつれてリアリティも上がっていった。今では**アバター**の喜怒哀楽といった細かい表情の変化だけでなく、汗や傷までも現実のように再現できる。XRコンタクトから脳に直接刺激を送れるようになってからは触覚や味覚、嗅覚なども感じられるようになって、今や、ここをただのインターネット上の仮想現実だと思う人は少ない。もう一つの現実なのだ。

モモはアイテムボックスからヨガドームへのキーを選ぶ。ウォレットに保管されているヨガクラスの会員権**NFT**が認証され、次の瞬間、ワンルームだった景色が鏡張り七〇平米のホールに変わった。部屋からヨガドームの一室に**ワープ**したのだ。

ログアウト
現実世界に戻る行為。XRコンタクトは着けたままなので、ログアウトのタイミングで視界が切り替わるイメージ。

アバター
バーチャル空間上での分身。現実世界の自分と似せる、別物にするなど、ファッションを含めてさまざまな表現を可能にしている。

「サラ先生、こんにちは」

　クラスの生徒たちがにこやかにあいさつをする。今日の参加者は一〇人。みなOASIS TOKYOの会員権NFTを持ち、そのコンセプトやルールに賛同している。コンセプトとは「独占や見返りを求めないGIVE&GIVEの精神」「未来への投資を軸に循環するヒト・モノ・カネ」「自分たちでつくることができる・変えられる社会」「人間の本質、愛と調和が存在する場所」といったものだ。いわば同じコミュニティに属したメンバーだと言える。仲間だと言い換えてもいい。そのせいか、ここで誰かに会うと、どちらからともなく率先してあいさつをしたり、笑顔になったりすることが多い。その上、モモはいつも一〇人前後でクラスを行うから、受講者たちは自然と仲良くなる。クラスはいつも和やかな雰囲気だ。モモにとってもみんなにとっても、このヨガドームは大切なコミュニティスペースなのだ（一方、ごくまれにだが、ルールから著しく逸脱したと見なされた場合はコミュニティメンバーの投票によって会員権を剥奪されることもある。剥奪された会員権はDAOによってNFT取引所に出品され、新たな買い手のもとにわたる。コミュニティに所属するためには一定の代償も必要だ）。

NFT
Non-Fungible Token＝代替不可能なデジタルアイテム。デジタル上のハンコのような技術でNFTの登場によりデジタルコンテンツを保有する時代がきている。

ワープ
メタバースと現実空間でもっとも異なるのが移動方法。あえて時間をかけて移動することもできるが、ゲーム同様に一瞬で目的地まで移ることができる。

DAO
Decentralized Autonomous Organization＝分散型自律組織。ブロックチェーン上で運営される民主的な組織・コミュニティのこと。中央集権的な管理者が存在せず、トークンを保有するコミュニティメンバーの投票等で取り組む内容やその方向性を決めている。

みんな今日も個性的だな、と参加者たちのアバターを見てモモは思う。アバターは基本的に自由にカスタマイズできる。ただし、コミュニケーションに影響が生じるのを防ぐため、極端に大きくしたり小さくしたりはできない。また、声以外の現実世界の身体的特徴は反映されない。なりたい自分になろうとするから結果的にはほとんどの人がトップモデルのようなアバターにしているが、現実世界では考えられないような、たとえば海にいる生物と人間が融合したようなアバターもあったりする。

モモは十代の頃に大好きだったK－POPグループ・THRICEの写真を元にアバターをカスタマイズしていた。アバター名はサラ。だからみんなここではモモのことをサラもしくはサラ先生と呼ぶ。THRICEにはモモというメンバーがいて、本名と同じアバター名にするか迷った。だが現実世界とメタバースでは微妙に異なる自分になりたい気がしたから、サラを選んだ。

ここでは基本的に自分の名前を名乗る必要がない。アバターの頭上にアバター名が表示されるからだ。この表示は隠すこともできるが、隠す人はあまりいない。クラスのみんなも表示はそのままだ。ナーちゃん、ノロイ、ユナユナ、ヨキコ、ユキ、ナズナ、ナナミ、モエ、アリサ。みんなNFT化された個性的な**デジタルファッション**を

デジタルファッション
アバターに着せることができるデジタルデータ。本書ではweb3メタバース上で利用可能なNFT化されたものを指す。web3メタバースは将来的にブロックチェーンで接続されると言われており、メタバース間を行き来しやすいアバターやそのアバターの身にまとうファッションから普及する可能性がある。NFT化されているため現実のファッション同様売買も行われている。

身にまとっている。タンクトップとレギンスのクラシックなヨガウェアの人もいれば、セクシーなブラトップとワイドパンツの人、上下ジャージ風の人、サイバーパンク風の蛍光色衣装の人、動物の頭部を模した顔全体を覆うマスクをした人もいる。これらデジタルファッションはNFTと紐づけられて価値を持つので、現実世界やメタバース内のショップで購入できる。また、メタバース間の接続、**インターオペラビリティ**が進み、購入したアイテムは他のメタバースにも持ち込めるようになった。人々のメタバース上での滞在時間も長くなり、アバターやデジタルファッションの需要が伸び、デジタルファッションデザイナーは今や、子どもの「将来なりたい職業」でTOP10に入るほど人気だ。

テレサがいないな、とモモは思った。メッセージボックスを確認する。テレサからのメッセージがあった。

サラ先生！　五分ほど遅れます、すいません！

真面目な人だなとモモは思う。テレサはいつも忙しく動き回っている。何をしてい

インターオペラビリティ
web3の特徴である相互運用性。さまざまなweb3サービスがブロックチェーンを使って相互に接続されていくと言われている。これが実現した未来の例としてゲームやメタバースで購入したもの（NFT）を他のプラットフォームに持ち込むことが可能になる。

るのか具体的には知らないが、社会問題に対する意識が高いらしく、メタバース内のさまざまな施設で勉強している。今日も前に用事が入っていたのだろう。五分くらい遅れたってモモは困らない。好きなタイミングで入ってくればいいし、途中退出してもいいとさえ思っている。みんな自分の都合に合わせてクラスに参加すればいい。ヨガは人を縛るものではなく解放するものなのだから。普段は殺伐と荒廃した現実世界であらゆるものに縛られているんだし、メタバースでヨガをする時くらいは自由でいい。

扉のキーがカチャリと音を立てる。ヨガドームの会員権ＮＦＴを認証した音だ。

OASIS TOKYO の会員権ＮＦＴに加えてヨガクラスの会員権ＮＦＴを持っている者しかこの部屋に入れない。扉が開き、ヨガウェア姿のテレサが入ってくる。褐色の肌に白いブラトップと、金メッシュを入れた長い黒髪が眩しい。

「失礼します、遅くなりました」

テレサはサンバイザー型のサングラスをかけていたが、サングラス越しにもわかるほどの笑顔であいさつし、みんなのうしろに並んだ。ハルやモネ、ミナたちもテレサにあいさつをする。わかりやすく明るいタイプではないが、テレサがいると場が柔らかくなるとモモは思う。

定刻になった。モモはクラスをはじめる。

「それでは本日もよろしくお願いします。ナマステ」

「ナマステ〜」

ナマステとはサンスクリット語のあいさつで、「礼拝する・敬う」を意味する「NAMAS」と「あなた」を意味する「TE」というふたつの言葉からなる感謝の言葉だ。「こんにちは・ありがとう・さようなら」といったさまざまなあいさつに使われる。

モモはこの言葉からレッスンをはじめるのが好きだった。何に感謝するかはクラスに参加する各自で考えてもらえばいい。一緒に時間を過ごす仲間に感謝でもいいし、ヨガをする時間を確保した自分への感謝でもいい。

この言葉を合図に室内が暗転する。三秒後、部屋の端に赤い太陽が現れ、太陽は徐々に大きく広がり部屋全体を照らす。いつの間にか室内に空と海が広がり、足元は砂浜に変わり、風が頬を撫で、小さな波が寄せては返す音が聞こえる。早朝の海辺だ。内壁や床が**スクリーン**になり、自然の風景を映し出しているのだ。

「両手を胸の前であわせて合掌し、息を吸って胸を開き、両手を上に気持ち良く伸ば

スクリーン
ここではメタバース内の部屋にスクリーンがあり、そこに映像が映されるという設定。現実世界におけるVRゴーグルをかけているような感覚で、あたかもその場にいるような空間が演出可能。

していきましょう…………………」

スクリーンは草原になったり森になったりもする。もはや現実世界では見ることができなくなった大自然の中でヨガができることが、モモのクラスの売りの一つだった。

今日は太陽礼拝を一〇八回行った。太陽礼拝とは、一二種類のポーズを組み合わせた動きのことで、ヨガの基本中の基本として知られる。一つひとつのポーズは難しくないが、全身の筋肉を大きく使い、腕立て伏せやスクワットに似た動きも含まれるため、体力に自信のない人や初心者なら三、四回もやれば疲れてしまう。それを一〇八回やった。何人かの受講者は息があがっていた。ここに通う人たちの意識は高い。現実世界で一〇八回の太陽礼拝をやると、何人かは途中で脱落する。モモはここで脱落した人を見たことがない。健康や心の豊かさを求めてヨガをはじめる人は多いが、このヨガドームに来る受講者たちはすでに健康的で、多少は身体を鍛えてもいて、さらに自分を見つめ直すために通う人が多い。中でもテレサは特別に熱心だった。受講生たちが帰りはじめると、テレサはモモのところにやってきて質問する。

「サラ先生、一〇八回って、煩悩ですよね」

「そう。煩悩の数だけ太陽礼拝をすることで、自身の中にある煩悩を出し切りましょうというコンセプトですね」

「なんで煩悩って一〇八個なんでしょうね。調べてみると、煩悩の数については時代や宗派によって諸説あるみたいですね、少ないものだと三つだったり、多いものでは八万四〇〇〇もあるみたいです。ヨガでは煩悩を五つとする考え方もあるみたいですね」

テレサは話しながら**AIチャットボット**で煩悩について調べているようだ。モモも煩悩について調べる。しかしはたと気付いて、大事なのはそういうことではないのだと思い直す。

「本当は、回数は何回でもいいんです。太陽礼拝を繰り返して心を無にすることで、さまざまな苦しみが自分の心の動きに由来するのだと体感することが大切なんです。つまり、苦しみとは、仕事や人間関係など自分の外側からやってくるのではなく、自分の煩悩が生み出すもので、それを抑制するための手段の一つがヨガなんです」

「なるほど、今のメモしておきますね、ありがとうございます」

テレサは心なしかさっきよりも元気になってヨガ教室を出て行った。表にそこまで出るわけではないが、バイタリティあふれた子だなとモモは思う。テレサは自分の意

AIチャットボット
人間と会話しているような受け答えを、ロボットが自動で行うコミュニケーションツール、2022年以降AIテクノロジーの進化により精度が向上した。

見を大きな声で言うタイプではないけれど、とにかくなんでも学ぼうという意識が強くて好奇心が強い。

私もあんなふうに何事にもエネルギッシュに立ち向かえたらいいのに。立派なことを言ったものの、モモはヨガインストラクターの自分が煩悩から自由になれていないことを恥ずかしく思っていた。私はそんなに立派な人間じゃない。日常生活で心が無になれたことなんてほとんどない。今だって……と、数カ月前の失恋を思い出す。元彼と付き合っていた二年間は幸せだった。その幸せが突然終わってしまい、いまだに納得できないでいるのだ。相手に興味がなくなって別れた場合はなんとも思わない。しかし、自分から好きになって付き合った場合は、失恋するとしばらく引きずってしまう。

「モモはかわいいんだけど、多くを求めすぎなんだよ。たまに感情をコントロールできなくなるし。彼女としては楽しいけど、将来のパートナーとしては見られない」

別れ際に言われた一言を思い出してまた胸が痛む。恋人に多くを求めて何が悪いの？　モモは心の中で彼を問い詰める。むしろ求めない恋人って何？　それってただの都合の良い女じゃないの？　あなたが応えてくれないから怒るんでしょ、あなたがもっと私を大事にしてくれたらなにも言わないよ、でも全然大事にしてくれなかったじゃん、逆にあなたは私に求めない女でいることを求めたけど、求めすぎてるのはあなたのほうじゃないの？　私はあんなにあなたを大事にしてたのに……。

そんなことを心の中で繰り返しても無意味だとはわかっている。わかってはいるが、時々こうしてふいに彼のことが思い起こされて止まらなくなる。苦しい。苦しかった。「さまざまな苦しみは自分の心の動きからくる」「苦しみとは自分の煩悩が生み出すものので、それを解放するための手段の一つがヨガ」なんて、我ながらよくもまあ、言えたものだ。

こんな気持ちになった今のモモにとって、穏やかに過ごすためにヨガは欠かせない。ただそれだけではまだ少し足りない。もっと直接的な何かが必要だ。

モモは切ない気持ちになってヨガドームから自分の部屋にワープする。ベッドに腰掛け、メタバースからログアウトする。

ホモ・サピエンスの恋

ログアウトして目覚めると、モモは自宅のベッドにいる。

五反田のワンルームマンションは学生時代にモモの母が買ってくれたものだ。「大学生にマンションを買うなんてやりすぎじゃないのか？　アメリカの大学生は寮に入るのが普通で……」と父は渋ったが、当時から母には先見の明があった。いずれ歴史上類を見ないほどの世界的な大不況が訪れて貧富の差が絶望的なまでに拡大するから、早いうちに不動産を持っていたほうがいいと父を説得したのだ。

その予測は当たった。二〇二二年頃から日本円は下がりはじめ、モモが大学生になった二〇二五年には物価も上昇。失業率が九パーセントを超えた頃には**自殺者数が九万人**を超え、ホームレスの数は二〇二二年の四倍に増え、世代に関係なく犯罪数が異

自殺者数が九万人
2022年は2万1584人（厚生労働省）。

常に増加して治安が急激に悪化した。若く優秀な人材の海外流出が止まらなくなり、人々は円ではなくドルや暗号資産を求めるようになった。日本に出稼ぎに来ていた外国人が逃げるように日本から出ていく一方、アジア諸国の富裕層からは安価にそれなりの製品を手に入れられる手頃な爆買い国として人気になり、都市部では、買い物を楽しむ富裕層の外国人観光客をボロボロの服を着た貧困層の日本人が路地裏から眺めているといった光景が珍しくなくなった。

　アメリカとの金利差や各地の紛争の影響など、日本の凋落に対してはさまざまな説明がなされてきたが、二〇三五年現在、もっとも説得力のある説明は**ｗｅｂ３**への対応の遅れだったと言われている。日本では元々、平野将隆現内閣総理大臣が**ｗｅｂ３プロジェクトチーム**の座長を務め、強烈なリーダーシップとスピード感で日本のｗｅｂ３戦略を推進していた。しかし新たなテクノロジーを理解できない政治家や既存のルール・既得権益に縛られた政治家たちに妨害されるうち、他国に環境整備の後れを取るようになり、インターネット登場以降の歴史的とも言える**ゲームチェンジ**に乗り遅れてしまった。その結果、日本は戦後もっとも深刻な大不況に突入した。政界ではその後、巻き返しを図るために再度平野議員に白羽の矢が立ち、数々の抜本的な改革

web3
ブロックチェーンに基づく分散型オンラインエコシステム。web3とweb3.0は異なる文脈に由来する言葉で、諸説あり厳密な定義は難しい。本書では読者のためになるべくわかりやすくイメージしてもらうために「次世代インターネット」と意訳したい。これはイーサリアムの共同創業者だったギャビン・ウッドが2014年に提唱した考えで「分散化」「パーミッションレス（誰でもアクセス可能）」「ネイティブの支払い手段がある」「トラストレス（第三者に依存しない）」という4つの主要なコンセプトがある。

を推し進める中で総理になったが、日本の再建はまだ途上だ。
家を失い、車上生活に移行した昔の知り合いがモモには何人もいる。神戸で育ち、中高は私立の学校に通い、大学でも東京の女子大に入った彼女のまわりでさえ、そんな人は珍しくない。学生時代にともにスポーツジムでアルバイトをした同級生の女友達が「家賃が払えなくなったから今日からホームレスになります」と**SNS**に投稿した時、モモは彼女にどんな言葉をかけるべきか三日間悩んだ。四日目に「かける言葉なんてない」と気付き、それでも何かできないかとSNS経由でメッセージを送ろうとしたが、すでにアカウントは削除され、彼女の行方はわからなくなっていた。
自分は運が良かったのだとモモは思う。一つ何かが違っていれば、もしかしたら自分も彼女のようになっていたかもしれない。母に先見の明があり、マンションを購入するという具体的な行動力があったから、そして当時は突飛だと思われたその決断を受け入れる度量が父にあったから、自分はいま屋根のある都会のワンルームマンションでベッドに横たわることができる。そう考えれば、両親には感謝してもしきれない……はずなのだが、モモは子どもの頃から、父に対する強い不満をいくつも抱えていた。なぜ母が父と暮らし続けるのかいまだに理解できない。父が会社を人に譲って空

web3プロジェクトチーム
これはもちろんフィクションだが、2023年3月現在、自民党デジタル社会推進本部（本部長・平井卓也衆院議員）のweb3（ウェブ・スリー）プロジェクトチーム（PT座長・平将明衆院議員）にて推進されている。

ゲームチェンジ
ある市場を占有していた商品やサービスが、新たな価値観やルールにより書き換えられてしまうこと。

SNS
Social Networking Service=ソーシャル・ネットワーキング・サービス。メタバース自体をSNSととらえる考え方もあるが、本作では現実で使うSNSは2022年現在の主要SNSサービスと機能はほぼ変わらない設定。

手道場の運営で家族を養うと決めた時も、嫌がる自分に無理やり空手を教え込もうとしていた時も、父をまったく理解できないと思っていた。その気持ちはいまでもあまり変わらないし、そんな父を愛し続ける母のこともよくわからない。

モモはXRコンタクトのARモードをオンにする。XRコンタクト越しに見えている無機質で暗いワンルーム——脚付きの白いシングルベッドとベージュの羽毛布団、それにカラーボックスしかないシンプルなマンションの一室——にエフェクターがかかって部屋が明るくなる。ベッドフレームがグレーに変わり、ベージュの羽毛布団はグレーのコンフォーターケースに覆われる。グレーのプリーツとクッションも出現し、ベッドは一気にスカンジナビアモダンの雰囲気を醸し出す。ベッドサイドには白木のサイドテーブルとガラスのランプシェードが出現。大きな光がまぶしい。

「ちょっと今の気分には合わないかな」

バーチャルディスプレイを呼び出し、タスクバーからエフェクターを選び、表示されたいくつかの照明器具からフェアリーライトを選択する。ガラスのランプシェードが消え、壁一面がフェアリーライトで覆われた。無数の小さな光の玉がモモの白い肌をぼんやり照らす。

再びバーチャルディスプレイをタッチして、音楽プレイリストを呼び出す。お気に入りのTHRICEの曲を流しながら、出会い系マッチングアプリ「ロットル（lotto l）」を起動させる。ロットルは遺伝子情報にもとづくマッチングアプリで、生物学的に自分との相性が85％以上の相手だけをサジェストしてくれる。**ブロックチェーン**という改ざんできないインターネット上の台帳に刻まれたゲノム情報をベースに、**AI**がDNAレベルで相性をマッチングしてくれるのだ。

二〇三〇年代に入ってロットルが登場してから、多くの人がロットルで恋をはじめるようになった。当時のモモは都内の女子大を卒業して港区のITベンチャー企業で働きはじめた頃で、その時は恋人もおり、ロットルの最初のブームには乗り遅れてしまった。もっと早くこのアプリが世に登場してくれていたらと思う。もしこのアプリがあったなら、相性の悪い相手とズルズル無駄な時間を過ごさなくてよかったのに。

「とはいえ、そう簡単じゃないんだよなぁ……」

モモは画面に映る男の写真をぼんやりと見ながら、次々にスワイプしていく。

スワイプ、スワイプ、スワイプ……。

ブロックチェーン
暗号資産など、取引記録を分散的に処理・記録するデータベース。参加しているメンバーが正常に取引可能で、改ざんが困難で、参加者にデータを分散して保持させる仕組み。現在、さまざまなブロックチェーン技術が発展した。

AI
Artificial Intelligence＝人工知能。2022年現在、イラスト、テキスト、チャット等、さまざまなサービスが日々誕生している。本作ではシンギュラリティはまだ訪れていない設定。

どこまでいっても出てくる男はパッとしない奴ばかり。モモの心はちっともときめかない。いい男って全然いないんだよなぁと思ってしまう。

むなしさから逃れたくて遺伝子マッチングアプリを起動させたのに、さらにむなしい気持ちになってしまう。「加工された写真や動画はプロフィールに設定できない」というロットのルールは、イケメンなんてこの世界にはほんの少ししかいないという現実をユーザーに突きつける。承認欲求疲れがないわけではないが、幼少期から加工に慣れたモモにとって、完全無加工の写真は不自然に感じられた。

「今日も収穫なしか」

とアプリを閉じようとした時、ひとりの男が目に止まった。

その男の名はコウタという。東京出身の三二歳。

三二歳？　私の四歳上？　それにしては若く見えるなとモモは思った。年齢のわりに童顔に見える塩顔の男が、濃紺のパーカーを着て画面の中でぎこちなくほほえんでいる。

さわやかで清潔感はあるが、**セルフィー**に慣れていない陰キャだなと見た瞬間に思った。私の四歳上なら、TikTokが大ブームだった二〇二二年頃は一九歳。あの頃に

セルフィー
自撮りのこと。2035年はメインデバイスがスマートフォンではなく進化したXRコンタクトやARグラス、VRゴーグルを使って行われる可能性が高い。

思春期を過ごしながらセルフィーに慣れていない人間は、たぶん信用できる。モモは自身の経験からそう思った。この人は陰キャだったのだ。

十代の頃、モモは陰キャにまったく興味がなかった。学年で一、二を争うほどのルックスの持ち主だったモモは、同じように学年で一、二を争う陽キャのイケメンとばかり付き合っていた。まわりはスクールカースト上位の連中で占められ、陰キャは視界にも入っていなかった。しかしいざ大人になってみると、三〇代で真に魅力を発揮する男の中には、過去に陰キャだった人が意外と多いと気付く。なぜだろうとモモは考えたことがある。答えは簡単だった。彼らは自分と向き合い、葛藤し、充実した仕事をやりながら二〇代を過ごしてきたからだ。その結果、内面が磨かれ、思考力や包容力が身について魅力的な男になっていく。逆に言えば、自分と向き合わない男たちはいずれ何の魅力もない中年になっていく。

だから私は、とモモは強く思う。自分と向き合いながら成長してきた元陰キャの男とマッチングしてやるんだ。オタク気質で家にこもりがちで、趣味を優先するくらいのガツガツし過ぎていない男。頭と見た目が良く、清潔感があり、なおかつ経験人数は五人以内、その五人以内の女たちとしっかり向き合って相互理解と探究を深めた経験のある男、そんな男が私を幸せにしてくれる。このセルフィーが苦手なかわいい顔の元陰キャ男は該当するか？

モモは目を細めて男のプロフィール写真を点検する。きれいな白い肌。耳にかかるくらいのショートヘアに清潔感がありそうだ。清潔感は大事。どんなにいい男でも清潔感がないのは論外だ。胸板はほんのり厚めだが細身なのも良い。濃紺のパーカーも似合っている。

モモはコウタのぎこちない笑顔を、想像の中で自然な笑顔に戻してみる。塩顔の男がやわらかい表情で笑う。目が優しい。少し前の韓国の人気俳優だと言われても納得するかもしれない。

うん、アリかも。全然アリ。

モモはコウタのプロフィール情報を読み込む。

「学生時代に**ブロックチェーンゲーム**会社を興し、その後バイアウト。現在は資金を**DeFi**で運用しながら、週に三日ほどアドバイザー兼エンジニアとしてモニカ・ブランド社に勤務」

……え？　まって超優良物件じゃん。すごいの見つけちゃったかも。モニカ・ブラ

ブロックチェーンゲーム
通常のゲームとブロックチェーンゲームの異なる点は、暗号資産を用いてゲーム内で稼ぐことができ、資産をもてるところ。これまでのスマホを使ったソーシャルゲームがFree to Playに対してPlay to Earnと表現される。

DeFi
Decentralized Finance＝分散型金融。ブロックチェーンを通して、スマートコントラクトという技術を活用し、仲介者を省き、利用者間で売買などが行われる。

ンドってweb3でいちばん有名な会社じゃん。

モモはコウタのプロフィール画面を二本指でタッチする。これで相手に好意が伝わる仕組みだ。もし相手も自分を気に入れば、次は対面で会うための手続きに移る。

ほどなくして通知が送られてきた。相手もモモを気に入ったらしい。

あらかじめ入力していたおたがいの空きスケジュールをアプリが自動的にすりあわせ、デートの日程が決まる。

表示された日程を見て、モモはベッドから飛び起きた。

明日、一八時。

二四時間後にはもう、この人とリアルに対面して、ふたりきりの空間にいる。

ＡＩの限界

コウタは渋谷のタワーマンションの一室にいる。

ここは彼の自宅兼職場。彼はあまり家から出ない。出る必要がないからだ。食事は配達させればいい。日用品はネットで買えばいい。ゴミは部屋の前に出しておけば**ＡＩロボット**が回収する。仕事のほとんどは遠隔で完結する。運動不足は**ＶＲ**のフィットネスアプリで解消すればいい。景色に飽きたらメタバースに入ればいい――だが、景色に飽きるということはほとんどなかった。というより、景色は景色でしかない、飽きるとか好きになるとかそういった対象ではない。コウタは旅行という概念が理解できない。景色でも建築でもなんだってウェブやＶＲやメタバースで見られるのに、わざわざ時間と体力を使って疲れるだけの物理的な移動をすることに何のメリットが

ＡＩロボット
人工知能が搭載されたロボット。２０２３年現在でも進化は進んでいるが、本作では学習機能を備えた業務をするロボットとして設定。今後は知識だけではなく、人間の感情をより一層理解することで精度が向上することが予想される。

あるのか。ない。だから興味がない。

だがビジネスは別だ。旅行はビジネスになる。

コウタは二〇三〇年に経済特区に指定された渋谷区でさまざまなビジネスにかかわっていた。その中には旅行関連のプロジェクトもある。渋谷は日本のインバウンド戦略における最重要地区の一つだ。そしてインバウンドは日本が生き残るための重要戦略の一つだ。とはいえ二〇三五年の日本には、観光できる場所も宿泊できる場所もそれほど多くない。東京に来るほとんどの観光客は渋谷を訪れていた。渋谷には多くのビジネスが生まれるから、コウタのようにビジネス感覚に優れた人間が各方面から頼られることになる。

昨日、半年前から走り出していたインバウンド向けNFTプロジェクトが一つローンチを迎えた。コウタはそのプロジェクトDAOにプログラマー兼アドバイザーとしてジョインしていた。ジョインしたのは、昔からの知人でメタバース都市 OASIS TOKYO 内にある施設「SHIBUYA web3 HUB」のゼネラルマネジャー、タサカに誘われたことと、ギャラが良かったことが理由だ。おたがいのことを知っているからか、タサカとはスムーズに話が進みやすく、ストレスフリーに近い状態で仕事ができる。

VR
Virtual Reality=仮想現実。2023年現在ではゴーグルやヘッドセットをつけて仮想空間に没入する。現在メタバースは3DCG型、web3型、(VRなどの)デバイス型があると言われており技術の進化にともない徐々に融合していくと思われる。

だから彼からのオファーはたいてい断らない。

とはいえ、スピードが命のｗｅｂ３プロジェクトにおいて、半年間の準備期間は長かった。このプロジェクトのせいで睡眠不足も続いている。

コウタは珍しく疲労を感じ、今日はリフレッシュとして一日中ブロックチェーンゲームで遊んでいた。夕方までやり込んだあと力尽きて寝てしまい、ついさっき起きたところだ。デリバリーでピザを注文して食べていると、マッチングアプリからの通知があった。彼はマッチングアプリのヘビーユーザーではない。この数日は通知を無視していた。そもそも特定の恋人を求めてすらいない。なぜなら、特定の恋人を持てばひとりの時間が減るなど、何かを犠牲にしなければならないからだ。そうした犠牲を払ってまでその相手と恋人でいたいのだろうか。メリットとデメリットを比較すれば、恋愛は合理的な行為だとは言えない。ならば特定の恋人を持つよりもその都度誰かと短い関係を結んだほうが良い、コウタはそう結論づけていた。

マッチングアプリを利用するのは気が向いた時だけ。今日は仕事がひと段落した直後だし、ちょうどいいだろう。コウタはロットルを約二週間ぶりに起動した。何百件もマッチングしている。コウタのように優秀な遺伝子を求める女性は多い。だがコウタはすべてを確認したりはしない。直近でマッチングした数人を確認すれば、そのなかにだいたい好みの女性がいる。
　さっきいいねをくれた人を確認する。モモ、二八歳。写真を見てみる。好みだった。顔が整っているなとコウタは思う。アナウンサーにいそうな清潔感があり、誰が見ても気に入りそうな美しさだ。ヨガインストラクター、アメリカ生まれ、日本とアメリカのミックスでK－POP好き、東京在住。なるほど。会うのは早いほうがいい。空きスケジュールは今日から三日間に設定して、モモ二八歳のプロフィールを二本指でタップする。日程が決まった。明日だ。

　モモは緊張していた。ロットルでマッチングした相手とデートする場合、ふたりはまず、ロットル側が用意する大型の**自動運転車**内で出会う。
　あらゆる物価が上昇し貧富の差が絶望的なまでに拡大した二〇三五年の東京では、安価なカフェやレストランなどはあまりない。それらは高級施設になってしまい、若者が気軽に利用することはできない。そこにロットルは目を付けた。無料の大型車を出会いの場として提供することで、人々は安心して誰かと出会えるようになる。

自動運転車
自動運転は0～5のレベルに区分され、2023年現在実用化されているのはレベル3。本作では法律等の問題がクリアされ、完全自動運転（レベル5）になった設定。

大型車の中には一・五畳ほどの個室が六つ入っている。個室には小さな正方形のテーブルと横並びの二脚の椅子。軽食やドリンクも用意されており、ここで小一時間、会話を楽しんでおたがいを知ってくださいという設計だ。もちろん完全自動運転なので運転を気にする必要はない。手動運転車は人間の体調や運転技術などに左右されて危険なので、先進国の都市部では数年前に条例で全台乗り入れ禁止となった。

車は目的地なく時間まで道路を周回する。プライバシー保護のため窓は両面フルスモークで、外から見えないのはもちろん、今どこを走っているのかも利用者にはわからない。トラブル防止のため車内には複数の小型カメラが搭載されており、運営がリアルタイムで監視している。どちらかが不快や危険を感じたらその時点でデートは終了する仕組みだ。

自動運転車が指定の場所に来たので、モモはＸＲコンタクトで**ＤＩＤ**認証をした。ＸＲコンタクトにはウォレットが内蔵され、さまざまな暗号資産やＮＦＴとともに**ＳＢＴ**化された身分証がＤＩＤとして埋め込まれている。ドアを開けて指定された個室に入ると、コウタはもう車内にいた。

ＤＩＤ Decentralized Identity＝分散型ＩＤ。ｗｅｂ３時代の到来により国や行政など中央集権的な組織がＩＤを発行する可能性がある。運転免許証や住民票のようなものではなくブロックチェーンネットワーク上に記帳されたＩＤで、これとｗｅｂ３時代の必須ツールであるウォレットが密に連動しながら普及していくものと予想される。

　コウタはプロフィール画面と同じ濃紺のパーカーを着ていた。下はブラックのデニム。ナイキのスニーカーはおろしたてなのか汚れ一つない。身長は一七五センチくらいか。一六二センチの自分と良いバランスだとモモは思った。体型は細身でスラッとしているが、写真で見るよりも胸板が厚いので実は細マッチョなのかもしれない。

「こんにちは」

　とモモは言った。できるだけ自然な、しかし自分にできる精一杯かわいい笑顔で。

「あ。こんにちはー」

　その抑揚のない返事に、モモはあっけにとられてしまった。普通はみんなもっといい反応をするからだ。「こんにちはー」の前の「あ。」が気になった。「あ。」と「こんにちはー」の間に、何か一言あったのではないかと感じる。言葉にされなかった本音のようなものが。

「どうぞ」とコウタが椅子から腰を上げてモモの椅子を引いた。モモは頭を下げて椅子に座る。コウタの顔を見ようと顔を上げ、彼と目が合った瞬間、恋に落ちた。

　ひとめぼれだった。切れ長の二重まぶたで純粋そうな優しい目に、モモの心は吸い込まれ、胸の奥がキュッと締め付けられるのを感じて固まっていた。その間何秒だっ

SBT
SoulBound Token=譲渡不可能なNFT。誰かに譲ったり売却したり保有者を移転することができないNFT。イーサリアムの開発者であるヴィタリック・ブテリンらが提唱した概念で、自身の経歴を証明するIDのような使い方や、金融市場における信用の証明、イベントチケットなどに活用が期待されている。

ただろう。

「……え？」

というコウタの言葉でようやくモモは自分が固まっていることに気づいた。慌てて個室のドアを閉めようと振り返ると、ドアはとっくに自動で閉まっている。再び身体をコウタに向けて彼の表情を窺うが、呼吸が苦しい。舌が喉に張り付くようだ。「あっ、モモです」と言うのがやっとだった。

「コウタですー。よろしくお願いしますー」

棒読み感が否めない、抑揚のない声だった。声だけ聞いたらぶっきらぼうな男だと思ったかもしれない。しかしモモは、コウタの自分を見るまなざしから、彼も自分と同じ気持ちを抱いているのだと直感した。目は時に口よりも雄弁だ。どんな言葉よりも真っ直ぐに自分を見つめるまなざしに、モモの心は躍った。

「コウタさん、イケメンですね」

いつもは自分から話しかけるのでなく、相手の出方を見てそのリアクションで会話を進めるモモだったが、この時は自分から会話を進めようとしていた。しかし、自分が口にした言葉がなんだかわざとらしく聞こえてしまうのがもどかしい。これまでの人生で何度も、相手を喜ばせるための嘘の言葉として「すごいですね」「素敵ですね」「かっこいいですね」とさまざまな男たちに繰り返してきたことが悔やまれた。思ってもいないことを口にしてしまうと、本当のことを伝える時にうさん臭くなってしまうのかもしれない。

「あ、いやいや……」

とコウタが口ごもり、目が泳いだ。

「ごめんなさい、いきなり……。でも実物のほうが素敵だとほんとに思います！」

「あ、どうも……」

「……あの、このアプリってよく使うんですか？」

「いや？　それほどは」

「そうなんですか。私もそんなになんです」

「そうですか」

「……」

「……」

「そのスニーカー、素敵ですね」

「これですか？　**デジタルツイン**仕様でプレミアがついています」

「すごぉい。ファッションがお好きなんですね」

「いや、そういうわけじゃないけど、まあ、レアだし、とりあえずですね」

「とりあえずですか」

「はい」

「……」

「……」

「……あの、もしかして、コウタさん、がっかりしてます？」

「何がですか？」

「思ってたのと違う、とか」

「いや、そんなことはないです」

「もうちょっと若い子のほうがよかったな、とか」

「いや、年齢は知ってるのでそんなことないですよ」

「じゃあ、なんかあんまりタイプじゃないな、とか」

「いやタイプとかは特にないけどそういうのは関係ないので全然思ってないです。大

デジタルツイン
現実世界のデータを使って、メタバースなどの仮想空間で双子のように再現した技術。ここでは現実世界のレアなスニーカーと同じものを再現したデジタルのスニーカーという意味。

丈夫です」

「……大丈夫って、つまり？」

「つまり？　つまり……」

コウタは表情を変えない。電池が切れたロボットのようにも見える。やっぱり元陰キャだとモモは確信した。見た目はかっこいいのに、あまり女性との会話に慣れていない。ＡＩロボットと話しているみたいだ。さっきの抑揚のない棒読みもたぶん通常モードなんだろう。

「とりあえず握手しましょうか？」とモモは言った。

「え？」コウタが間抜けな声を出した。

「よろしくお願いしますの意味で握手。嫌ですか？」

遺伝子レベルでマッチングしていることは保証されているのだから、あとは人間らしい確認作業が必要だとモモは考える。たとえば、匂いや細かい表情の変化、声の聞こえ方、リアクション、一緒にいる時の空気感、それに、触れ合った時の感覚。こうしたことは実際に会ってみないとわからない。ロットルのガイドラインでも触れ合うことは人間らしい確認行為として推奨されているくらいだ。

「嫌じゃないですよ」とコウタが言った。

「はい、じゃあ」

モモは手を差し出した。


コウタは少しだけ嫌だった。

握手が嫌いなわけではない。会って即握手を求めてくる態度に少し引いたのだ。目の前にいる相手のことを嫌いなわけではないし、そもそもビジネスの場では初対面で握手をすることなんて別に珍しくもなんともない。ただなんとなく違和感があった。だがそれはごく小さな違和感だったので、特に検討することもなく手を差し出し、モモの手を握った。

温かかった。人間の体温なのだから温かいのは当たり前なのに、なぜかこの時は「温かいな」と、わざわざ頭の中で感想を言語化していた。

ふたりはしばらく手を握り合っていた。


それから二人は備え付けのミニバーにあるお酒を飲みながらいろんな話をした。最初はどうなることかと思ったが、さすが遺伝子レベルでマッチングしているだけあって共通点も多く、会話も徐々に盛り上がってきた。久しぶりの飲酒で酔いが回ったモモは、横並びでコウタの肩に頭を預けてみた。

「久しぶりのお酒なのに、飲みすぎました」

少し大胆かなと思ったが、お酒が入っている状態なら自然なことだ。これに対する反応で相手の気持ちはだいたいわかる。脈がなければ拒否するはずだ。

コウタは拒否しなかった。それどころか、モモの肩を抱き寄せた。

すごい、とモモは思った。想像以上に自分の身体に相手がフィットしていたからだ。これが遺伝子レベルの相性の良さなのかと身体の芯から感じてしまう。もしかしたら、とモモは思う。私たちの相性は限りなく100%に近いのかもしれない、85%以上の好相性といっても、85%と99%とでは大違いだ。

意気投合したふたりは、相手の息遣いを感じられる距離にまで近付いている。

「待って」とモモが言った。コウタはその意図を理解し、自動運転車内に搭載されているカメラに向かって「渋谷駅前で下ろしてください」と伝える。

さっきまで一定のスピードで走っていた自動運転車は一時停止し、方向を変え、速度を上げて走り出した。

ふたりは渋谷駅西口前の旧優良タクシー乗り場付近で車を降りた。夜の渋谷はきらびやかだ。高層ビルと巨大商業施設が並び、ネオンサインが眩しい。ビルの壁面は**3D広告**を映し出し、各所に大小さまざまな人間や動物の**ホログラム**が立ち上がる。ホログラムはものによっては二〇メートル近いものもあり、遠くから見ると巨人が街中を歩いているようだ。その間を縫うように昔ながらの歓楽街が続く。だが歓楽街を歩いているのは観光客と富裕層と、仕事終わりのビジネスパーソンばかりだ。

渋谷は経済特区に指定されて以降、国内外から数々の企業が集まり、なかでもweb3関連企業の進出が目立っていた。彼らが渋谷にオフィスを構える理由はいくつかあるが、税率で優遇を受けられることと、ビザが発給されやすいことが大きい。web3黎明期に未熟な法整備に見切りをつけて海外に拠点を移したいくつかの企業も渋谷に戻ってきた。リアルとメタバース都市OASIS TOKYOの両方に国内外からの相談窓口も設置され、大不況にあえぐ日本の中でも活性化された特異なエリアになっていた。夜の渋谷は東京でもっとも賑やかだ。ところが、モモはしばらく渋谷に来ていい

3D広告
ビルなどの一部で正面と側面がつながったディスプレイを活用することで、視覚的に奥行きのある表現を可能にした広告。2022年ごろから増えてきたが、ここではさらに進化した巨大なものをイメージ。

ホログラム
レーザーを使って立体画像を表現したもの。ここでは実体はないが、視覚的にも見えて動きをつけた広告の意味。

なかった。

「……っけ？」

人々や3D・ホログラム広告のざわめきがうるさくてコウタの声がよく聞こえない。モモはコウタに身体をくっつけた。

「都内に住んでるんじゃなかったでしたっけ？」

「そうなんですけど、最近は家と目黒のヨガスタジオを行ったり来たりだし、前の職場は銀座だったので、かなり久しぶりなんです。コウタさんは？」

「まあぼくは渋谷に住んでますからね。渋谷からあまり出ないです。仕事も渋谷だし。あとはメタバースのOASISでもビジネスアドバイザーとして実験解放区に携わっているので、渋谷区とのかかわりは多いですねー」

「私も行ってます！　ヨガのインストラクターやってるんです。実験解放区だと、マインドフルネス・ゾーンにヨガドームがあるじゃないですか。あそこで教えてるんです」

「あー、ヨガドーム、ありますよねー」

「そうなんです。私たち、意外と近くで活動してたんですね」

ふたりは駅中を通り抜けてハチ公口側に出る。さらに大勢の人たちで混み合ってい
て、なかなかまっすぐ歩けない。

「はぐれちゃう」

モモがコウタの腕に手を回すと、コウタは腕に力をぐっと入れてモモの腕を固定した。人々であふれ、３Ｄ広告や巨大なホログラムが踊るスクランブル交差点を渡り、道玄坂をのぼっていく。百軒店の鳥居をくぐって数メートル歩くと、そこから先には数百軒ものラブホテルが左右に連なっている。一つ路地を入ると渋谷は別世界だ。渋谷区円山町は、他のエリアが衰退していく中でも残存していた貴重なエリアだった。ふたりはエリアの入り口付近にあるホテルに入った。

自動受付で部屋を選んでエレベーターで三階に上がり、部屋に入る。右手にバスルームがあり、奥には白いシーツを張ったダブルベッド。枕元に照明・空調のボタンとアメニティ。たったそれだけの、クラシックスタイルの狭い部屋だった。今のふたりにはそれだけでじゅうぶんだった。

こんなに全身の細胞が満たされたのは久しぶりかもしれない……。

モモは幸福を感じていた。だが、その幸福な時間は長く続かない。

コウタはすでにXRコンタクトからバーチャルディスプレイを呼び出して何かの記事を読んでいる。「何してるの?」とモモが聞くと「んーいろいろ見てるー」とモモの顔も見ない。いろいろ見てるってなに、とモモは思う。いろいろじゃなくて私を見てよ。モモは背を向けるコウタに抱きついてうしろから手を伸ばす。コウタは腰を浮かして拒否した。

「ねえ、こっち向いて?」

「何?」

「何とかじゃなくて」

「どういうこと?」

モモは胸の奥に黒い小さな雲のようなものが発生したのを感じた。

「だから……もうちょっと、ぎゅーとかしてほしい」

「そういうことですねー」

コウタは向き直ってモモを抱きしめた。

「はい、これでいい？」とコウタは片手で抱きしめたまま、もう片方の手でバーチャルディスプレイを操作している。

この言葉がモモをイラ立たせた。

「なんでよ」

「え？　何が？」

「何がとかじゃないって」

「え、ちょっとはっきり言ってくれないとよくわからない、どういうこと？」

「もう……いいよ。イラついてきた」

「なんだよ。もう外出る？　近くに**NFT会員制のバー**あるけど行く？　すぐそこにあるから。この前アプリで会った子と行ったけど落ち着くし良い店だよ」

「……それどういうこと？」

「何が？」

「つい最近もこういうことあったってこと？」

「こういうことって何？　曖昧な質問が多いな」

NFT会員制のバー
2023年現在、特定のNFTをもった人のみが入れる会員制バーが日本にも存在する。年間パス、1日券などさまざまだが主にイーサリアムなどの暗号資産を使って売買されることが多い。

「だから、誰かとアプリで会って、こうやって……」

「あー、まあそうだけど」

「いつ」

「いつだったかな」

「いつなの？」

「それ言う必要ある？」

「聞きたい」

「八日前だったかな」

「は⁉」

モモは一瞬、言葉を失った。その一瞬にさまざまな言葉や感情が身体の中を走り回った。最初は「嘘つき！」という言葉が。続いて「べつに嘘は一つもついてなくない？」という言葉が。

たしかに嘘はついていない。自分たちはまだ何も約束したわけじゃない。さっき会ったばかりの関係だ。先週はまだおたがい知りもしなかった。どこで誰と何をしていようが、そんなのは彼の自由なのだ。自分に彼を責める権利はない。わかっている。

わかってはいるが、なぜか裏切られたような気がしていた。

モモはコウタのことを、そこまで女の扱いに慣れていないと思っていた。なのに、先週は別の女と……？　正直な人だとは感じていたけど、どこまでバカ正直になんでもかんでも言うんだ。

モモはプライドを傷付けられたのだった。しかしプライドの問題だとは認めたくなかった。

「なんかそれって、あんま誠実じゃなくない？」と非難を込めてモモは言った。

「どうして？」

「どうしてって、そんな毎週、女を取っ替え引っ替えしてるわけ？」

「いや、毎週ではないと思うけど」

「『思う』ってなに？」

「そもそも八日前の時点で毎週ではない。一週間空いているよね」

「ほんまに言うてんの？」

「なぜ関西弁？」

「めっちゃ遊び人やん」

「え、そうかな。遊ぶというほど遊んでいるだろうか。遊ぶの定義とは？　遊ぶをどう定義するかによって遊び人かどうかは変わってくる。まあとりあえず今は百歩譲ってぼくが遊び人だということにしたとしても、どうして今それをそんな強い口調で責められなければならないのかわからない。ぼくは君に何をしたっけ？　そもそも知り合ったばかりの関係で会うのは今日が初めてで――」

「最低！　無理！　帰る！」

モモはベッドから飛び起き、急いで服を着た。

その間、コウタはモモの様子をただ観察していた。そんな態度はモモをよけいにイラ立たせた。

「もうちょっと相手の立場で考えられないの？　こんなんＡＩロボットと一緒やん」

「……ＡＩロボットというのは、もしかして、合理的もしくは論理的であることを問題にしている？　それなら、そもそも合理的で論理的であることと人間であることは同時に成立す――」

「もうええわ！」

そう吐き捨て、モモはホテルのドアを蹴り飛ばした。

マルチバースの私と現実の私

そうか、煩悩か、煩悩が私を縛っていたのかもしれない。アイテムボックスのアパレル一覧から黒いブラトップを選び、白いブラトップからアバターを着替えながら、テレサはそう思った。

テレサには苦手なことがあった。それは自分の意見を強く主張することだ。意見がないわけではない。むしろそれはだいたいの場合において明確にある。だが、自分の意見が誰かの意見と対立してしまわないか、それが気になってしまう。対立することで人間関係に妙な波風が立つこと、集団の和を乱してしまうことが耐えられない。そうなるくらいなら自分が我慢すればいい。そう考えて、いつも自分の意見は心の底にしまい、相手を優先してしまう。

恋愛では基本的に相手を優先してきた。どんな店に行って何を食べたいのか。そのあとどこに行きたいのか。どんな服を着てほしくて、どんなメイクをしてほしいのか。そもそも週にどれくらい会いたいのか。すべては相手次第で相手が喜んでくれるのならそれでいい。しかし好奇心や秘めた意志は強いので、合わないなと思うと相手に悟られないように、傷つけないようにそっと距離をとる。何よりも揉めるのがイヤだ。だから「楽しいことしたいね、君は何がしたい？」と聞かれると困ってしまい、考えた末に「楽しいことしたいね～」と、何の発展もしないオウム返しをしてしまう。相手からすれば狐につままれた気持ちになるわけだ。「何を考えているのかわからない」「壁を感じる」と言われたことも一度や二度ではない。悪意があるわけではないのに。

自分の意見が常に正しいわけではないし、間違っているように見える意見の中にも正しさが含まれている場合もある。ほとんどの物事には数学のように唯一の解があるわけではなく、複数解があったり、状況や文脈によって変わったりする。そういう中で自分が意見を通したら、相手はどう感じるだろうか……？　「こっちの都合も知らないで」とか「ただの正論か」と思われるのではないか。あるいは「求めてるのはそんな答えじゃない」と嫌な思いを抱くのではないか。そう考えるから、相手に意見を求められても、賛成とも反対ともつかない曖昧な返事をしてしまう。

そうした気質が仕事にも影響を及ぼす。彼女は大学卒業後、ｗｅｂ３関連のベンチャー企業に就職して暗号資産の新規事業開発に携わった。仕事は興味深くて楽しかったし、上司にも恵まれた。彼女より五つ年上の上司は、業界で一目置かれた天才で、会社の創業者でもあった。彼の指示は常に簡潔で間違うことがない。言われた通りに業務をこなすだけで多くの経験値が入った。他では得られない貴重な経験をさせてもらえている実感があり、毎日が刺激的だった。だがある日上司にこんなことを言われたのだった。

「君は指示されたことを的確にこなせるし、誰とでも信頼関係を結ぶことができる。一対一で相手を巻き込むことも得意だし、優秀で勉強家だ。しかし、君が担当しているのは新規事業だ。自ら解くべき問いやゴールを設定し、大勢に対して発信しなければならない。それなのに君は、他人にどう思われるかをおそれてなかなか発信できないでいる。答えがない問いに関して誰かと意見がぶつかり摩擦が起きることを避けてしまう。今のままだと、これ以上はブレイクスルーしない」

……はっきりと言い過ぎでは？　彼女はそう思ったが、自覚していたことだから返す言葉がない。まるでＡＩのように淡々と話す上司の前で、彼女もまた淡々と話を聞きながら、しかし、心の中では静かに泣いた。その感情を表に出すことは決してない。感情を表に出してしまえば、この場の和が乱れてしまうからだ。ぐっとこらえて自分の胸の中に止めていれば、まるく収まる。

今以上に成果を出そうと思うなら、ゴールが決まった仕事ではなく、自分で考えて問いを設定し、正解かどうか誰もわからない中、ゴール地点に仮の旗を指し示さなければならない。そんなことはわかっていた。だが、苦手なものは苦手なのだ。もっと言えば、そもそも自分には向いていない、したいことでもないと整理していた。

一方で、先々のやりたい事やなりたい姿から逆算すると、今の状態ではダメだと思うこともあった。まずはメタバースで現実世界と違う人間になろうと、アバターは明るく活動的に見えるものに設定し、実際に自分はそんな人間なのだと思い込もうとした。自ら考え、行動を起こし、必要であれば誰にどう思われるかは気にせずに意見を発信できる人間になりたかった。だから、メタバースの彼女は忙しい。

上司に勧められて**NFTマーケットプレイス**で流通していたOASIS TOKYOのＮＦＴを購入すると（社会人数年目の自分には高かったので、購入資金は他のＮＦＴを

NFTマーケットプレイス
ＮＦＴの売買が行われる場所。２０２３年現在、OpenSeaやBlur、X2Y2が世界的に有名。

転売して用意した）、楽しみの場ではなく自己変革の場として位置付け、あらゆる場所に顔を出した。特に気に入ったのは実験解放区の**SDGs**ゾーンだ。父が国際協力関係の仕事をしていたこともあって幼い頃から社会貢献が身近にあり、学生時代には環境問題に配慮しているアパレルブランドでアルバイトをするなど、ずっとＳＤＧｓに興味があった。そのゾーンではさまざまなプロジェクトが行われていて、現実世界では競合にあたる企業同士やまったくジャンルの異なる企業同士が実験的に協力関係を結んでいた。

このゾーンでの取り組みが現実世界にも反映されればどれだけ世界が良くなるだろう、彼女はそう考え、一つでも多く学ぼうと自分からいくつかのプロジェクトに参加した。最初に参加したのは、デジタルスニーカーブランド・ＯＡＳＩＣＳによるカーボンニュートラルプロジェクトだ。このプロジェクトは、スニーカーの購入代金の一部を現実世界の植林に充てることで、CO_2排出量の減少とCO_2吸収量の増加を同時に目指している。実行されるとＳＤＧｓゾーンにも木が植えられる。

どのプロジェクトに参加しても、ＤＡＯメンバーの誰もがテレサを快く受け入れてくれた。このメタバース空間には「ＧＩＶＥ＆ＧＩＶＥ」の精神が暗黙のルールのよ

SDGs
持続可能な開発目標（Sustainable Development Goalsの略）。2015年9月にニューヨークで開催された「国連持続可能な開発に関するサミット」で「我々の世界を変革する持続可能な開発のための2030アジェンダ」が世界各国の政府によって採択された。環境やジェンダーレス、飢餓や貧困など、世界共通で取り組む17個の目標。メタバースでは寄附などを通して環境問題への貢献が期待されている。

うに浸透している。一人ひとりが自分にできることを考え、見返りを求めずにプロジェクトに貢献し、その想いと行動がプロジェクトを循環させる。循環はプロジェクト内にとどまらず、コミュニティから現実社会へと影響を広げていく。

ここでの過ごし方に慣れてからはヨガもはじめた。昔はエクササイズのためのヨガが主流だったが、今はそれと同じくらい、心の動きにフォーカスしたヨガや、古代インド仏教や密教などの宗教的行法としてのヨガも人気があり、二〇二〇年代から増えた無宗教型スピリチュアル層（**SBNR**）の支持を集めている。メタバースヨガも盛んで、OASIS TOKYOにもヨガドームが建設され、いくつかのヨガクラスがあった。彼女は何度かの体験を経たあと、相性が良さそうだと判断したサラのヨガクラスをメインに、他いくつかのクラスに出るようになっていた。

「煩悩を抑制するための手段の一つがヨガ」というサラの言葉は、テレサにとって天からの啓示のように聞こえた。すぐには言語化できなかったが、自分が抱えている課題と煩悩という言葉がつながる気がしたのだ。なぜだろうと彼女は考える。私の煩悩とは何だろうか。嫌われたくないのだ、とすぐに思い至った。嫌われたくないから、誰かに自分を否定されると傷付いてしまう。自分の心の底にあるもっとも強烈な思い

SBNR
Spiritual But Not Religious、宗教的ではないスピリチュアル層。特定の宗教への信仰をもたないが、物質的な豊かさ以外の精神的な豊かさを求める信仰的スタンスのこと。アメリカの某調査シンクタンクの調査では、アメリカ人のうち24％がこのSBNRに属するという統計結果もある。

は、他人に否定されることへの恐怖だ。だからこそ他人の意見を否定したくないし、自分の意見を押し付けたくないと思う。では、どうしてそんなに嫌われることが怖いのか？　テレサの頭に思い浮かんだのは母の顔だった。

幼い頃から母と過ごす時間が長かった。父が単身赴任で海外に行くことが多かったからだ。テレサは母を愛している。だが本当は少し苦手意識があって、新卒で就職した五年前から親の家には一回しか帰っていない。その一回とは、退職し大学の教授に転身した父をお祝いするための帰省だ。

子どもの頃、母は厳しかった。あの頃の母は娘に対して多くを求め過ぎだったのではないかと今では思う。幼い頃の記憶を掘り返せば、母はいつも「あれをやりなさい」と指示しては、期待通りの結果を出せない娘に対して「なんでもっとできないの」と叱責した。幼い自分は「私のせいでお母さんが悲しんでいる」と感じている。世界の中心に母がいた幼年期、母に嫌われることは世界からの孤立を意味した。だから嫌われないように、悲しませないように、自分の意志を抑えて母の顔色を窺っていた。そうした姿勢は彼女のアイデンティティの一部になった。だから、ゴールが設定されていることに対しては愚直に頑張ることができるが、自らゴールを設定することは得意ではない。自分ひとりの問題ならまだしも、自分以外の人間がかかわる場面において、自分がゴールを決めるなんて。そのゴールはそもそも正解ではないかもしれないし、誰かに負担をかけてしまうかもしれないのに。波風は立てたくない。それなのに、仕事の上ではそうした役割が求められる……。

しかし、これも煩悩によるものだととらえてみると、心が少しだけ楽になる気がする、自分は恐怖という煩悩に縛られていたのだと。

ヨガは自分を解放する手段だとサラ先生は言った。ヨガによって恐怖を抑制できれば、私はもっと私らしく自分の意見を強く発信できるようになるかもしれない、テレサはそう考える。他人の顔色を窺わず、好かれなければと苦心することもなく、心を解放できるのかもしれない。そうすれば私は、現実世界でももっと自由に生きることができるかもしれない。

テレサはアイテムボックスから白いガウンを取り出して羽織り、ヨガドームに向かう。今日は昼と夜の二回、ヨガドームに行く日だ。どちらも新鮮な気持ちでクラスを受けたいから、サラ先生のクラスを受けたあとにアバターの服を着替えたのだ。気分を新たに、踊るような足取りでテレサはヨガドームに向かう。

実験解放区へ

To the Experimental Liberation Zone

モモは自宅のベッドの上でOASIS TOKYOにログインする。次の瞬間、メタバース上の自分の部屋にいる。いつもの場所だ。窓の外には東京タワーや江戸城を模した城、城下町商店街、遠くに富士山も見える。それにNFT取引所の一部とスタジアム。モモはキャップとジャケットを羽織って、部屋を出た。今日はヨガのクラスがあるわけではない。実験解放区を散策するのが目的だ。

実験解放区とは、OASIS TOKYOの中央部分にあるエリアのことだ。本質的な豊かさを追求したり、人間のさらなる可能性を探ったりするための実験の場として設計されている。ここでは、さまざまな障壁から実現が難しい個人や企業の実験的な取り組みが行われている。そうした取り組みを通じて個人の内面的成長や企業のイノベーションのきっかけを創り、メタバースから現実社会にも良い変化をもたらし、豊かな社会をつくることが狙いとされている。

　実験解放区には会員権となるＮＦＴを持っていれば誰でも参加することができる。いくつかのコミュニティが形成されていて、全体は四つのゾーンにわかれている。自分のアイデンティティを見つめ直すマインドフルネス・ゾーン、寄付やＳＤＧｓなどをキーワードに社会問題の解決に取り組むＳＤＧｓゾーン、最新技術の研究やクリエイターや企業とのコラボレーションやｗｅｂ３スタートアップの支援を行うビジネス・ゾーン、国籍や性別などを超えて出会いを創出するラブ・ゾーンだ。この実験解放区を中心に放射状に街が広がっている。モモはマインドフルネス・ゾーンのヨガドームで週に数回のレッスンクラスを持っていた。

　自分の部屋から城下町商店街へと続くストリートを歩いていると、モモのウォレットに「Thank you サラ先生!!」というメッセージを添えて「オアシス**コイン**」が振り込まれた。振込人はテレサ。

「オアシスコイン」とはOASIS TOKYO内で発行される暗号資産・通貨のことで、誰かに何かをしてもらった時、感謝の気持ちとして相手に送ることができるチップの

コイン
ここでいうコインとは暗号資産のことを指す。ｗｅｂ３の時代は、各コミュニティやプロジェクトから独自の暗号資産が発行され、同様に発行されるＮＦＴと掛け合わせてトークン経済圏が創られる。日本円や他の暗号資産とも市場価格のレートにのっとり売買が可能に。

ようなものだ。これを貯めると、現実世界でコラボしている企業や店舗で決済や割引などのサービスを受けられる。取引所ではその日のレートで日本円に交換することも可能だが、不安定な現実社会で使われる円に比べて価値が上昇傾向にあり、人気だ。給料日には全額**ビットコイン**や**イーサリアム**に加えてオアシスコインに変えてしまう若者も多い。OASIS TOKYO はＧＩＶＥが循環する世界なのだ。感謝は言葉だけではなく具体的な行動で示すことも多く、コインを送ることで表現することもある。送られたコインの1％は自動的に寄付される。寄付されたコインは会員権ＮＦＴを持つコミュニティメンバーの投票によって用途が決められるが、基本的にはより良いコミュニティにするための施策や、現実世界の社会問題解決のために利用される。

今、モモのウォレットには約七〇万のコインが貯まっている。その中にはヨガインストラクターの報酬に加え、テレサから送られたものも多く含まれている。さっきのオアシスコインは前回のクラス後ヨガに関するいくつかの質問に答えたことに対する感謝だろう。いつものことだ。テレサが事あるごとにコインを送るので、現実世界でどれだけ使っても、すぐにこうして貯まってしまう。

モモは城下町商店街を抜け、実験解放区へ向かう。目的は一つ。コウタを探すこと。

ビットコイン
２００８年にサトシ・ナカモトといわれる人物によって発明された暗号資産の代表的存在。ＢＴＣ。

イーサリアム
ｗｅｂ３メタバースはＮＦＴや暗号資産を採用してつくられており、もっとも代表的なＮＦＴの規格はイーサリアムのＥＲＣ７２１。ビットコインにないイーサリアムの特徴としてスマートコントラクトという契約内容を内蔵することができる機能があり、ビジネス利用に向いている。そのため、ＮＦＴなどのビジネスに活用されている。

あれから二週間が経った。モモは毎日コウタを思い出す。はじめはイラ立たしかった。自分を裏切った男を忘れるために ロットルで違う人を探そうかと思った。ものすごくタイプの男とも、新しい世界を見せてくれそうな起業家ともマッチングし、オファーは何百件と届き続けた。だが誰とマッチングしても実際に会うには至らなかった。どうしても気になるような、会いたいと思える男はコウタだけだったからだ。

夜眠りにつく前、まぶたの裏側に浮かび上がってくるのはコウタのはにかんだ笑顔だった。コウタを思って眠れない夜を過ごし、ようやくついた浅い眠りの中でコウタの夢を見て、朝まで何度も途中覚醒を繰り返す。その度に隣にコウタがいないことを確認して落ち込む。忘れられなかった。あの抑揚のない低い声を耳元で聞きたかった。ＡＩかロボットかと思うほど無機質な話し方、ミステリアスな性格、飄々とした雰囲気。これまで好きになってきた人とはまったく異なるタイプだが、なぜか引き込まれてしまった。

モモは後悔していた。どうしてあんなことになってしまったんだろうと。だが原因が自分にあることは明確だった。モモは恋をして、相手が身近で特別な存在になり、その相手から大切に扱われていないような対応をされると突然自分の感情がコントロールできなくなって攻撃性が高くなってしまうのだ。

それが愛だと十代の頃は思い込んでいた。だが、そんな愛についていける人はいない。モモの支配に相手が服従すればその時点で相手への興味がなくなり、服従しないのであれば衝突する。結末はどちらも別れだ。もちろんたまには我慢もする。しかし我慢しても、それに見合うだけの見返りがないと感じて腹が立つ。大人になった今、それが自分のエゴのせいだと頭では理解できるようになった。だが自分を変えるのは難しい。

なぜそんな人間になってしまったのだろうか？　モモは原因を父に求める。父から得られなかった愛情を無意識のうちに恋人に求めてしまうのだと。

幼い頃、父はほとんど家にいなかった。社長として日々激務に追われていた父は、日本法人の代表も務めていたせいでプライベートな時間がほとんどなかったそうだ。モモは母に育てられ、母とふたりで幼少期の大部分を過ごした。それでも父に対する愛情はあった。ほとんど会わない父のことが好きだったのだ。子どもは無条件で親を愛するのかもしれない。あるいは母の感情を幼児なりに感じ取っていたのかもしれない。大好きなママが愛している人なのだからと。そして母が感じているのと同じように、父の不在を寂しく感じていた。

その寂しさが爆発したことがあった。あれが何歳の頃の出来事だったのか覚えていないし、母にもその記憶はないというが、珍しく早い時間に父が帰宅したことが嬉しくて、モモは父に甘えようとした。抱きしめてほしかったのだろう。何かの作業をしている父にモモはしつこくだっこをせがんでいた。父は迷惑そうにモモを抱きしめ、日本語で「はい、これでいい？」と言い放つと、背を向けて再び何かの作業に戻った。モモはそんな父の背中を呆然と眺め、ある瞬間に爆発的に泣き出した。父の言葉と仕草の意味を当時の自分が完全に理解していたとは思わないが、期待していた通りにだっこをしてもらえず、悲しみがあふれて泣き叫んだのだった。

この出来事が記憶に刻まれ、成長過程で繰り返し思い出され、本格的に言葉を覚えてからは、あの時抱いた感情にさまざまな言葉を与えて傷付き直した。それはモモにとって心の暗い隙間になった。思春期を迎えた頃からその隙間に蓋をするようになり、成人した頃には、その隙間が自我となじむようにすらなっていた。

いつしかモモは、恋人に対して無償の愛を求める人間になった。愛情を与えるよりも与えられる状態を求める。大切な人に愛されて満たされている実感がほしいからだ（一方では、興味のない人間に対してはとことん興味がなく、ドライな人間だと思われることもあるが）。

本当に愛されるためには相手を理解し、受け入れ、「与える」ことが大事だと頭ではわかっている。だがそれがなかなか難しい。肝心なところで愛を要求してしまうし、それが与えられないと感じると、子どもの頃の自分が心の内側によみがえり、幼児の頃と同じような行動を取ってしまう。

こうしたモモの心の癖に対し、「君は独占欲が強い。その自我から自由になれるかどうかで、この先の人生が変わってくると思う」と指摘したのは、港区のＩＴベンチャーで働き始めて二年目の秋に出会った年上の男だった。今から四年前のことだ。彼とは長く続かなかったが、さまざまなことを教えてくれた。ヨガだって彼に勧められてはじめたものだ。癪ではあるが、ある種の転機になったと言ってもいい。

ヨガを始めてから、モモは心の平穏を手に入れたと感じていた。それまでとは違う自分に生まれ変わったと感じていた。だからこそ港区女子を卒業してＩＴ企業のマーケターをやめ、ハマっていたヨガのインストラクターにまでなったのだし、仮想現実の世界でもヨガインストラクターとして活動することを決めたのだ。

しかし、本当に変われたのだろうか？　変わった部分はたしかにある。だがいまだに心は揺れ動いている。根本はそれほど変わっていないのだろうとモモは思う。二週間前に自分が取った言動は、十代の頃のそれと同じだった。コウタと出会った瞬間から、自分の理想像を相手に押し付け、彼のことを自分の所有物のように感じていた気がする。コウタはひとりの独立した人間なのに……。

なぜコウタに惹かれるのかはわからない。わからないが、恋愛とは本来そんなものだとモモは思っている。理屈を超えて強く惹かれるもの、離れてもなお惹かれるもの。頭の中がお花畑でロマンチストだった十代の頃はそれを運命と呼んでいた。しかしいまのモモは、無邪気に運命を信じ込むこともできない年齢だ。二八という年齢は、もっと現実的に物事を考えさせる。少なくともその「運命」のようなものは自分から手を伸ばさなければ決してつかめないものだと知っている年齢だ。

だからモモは手を伸ばし、仮想世界で運命を探す。そこにコウタがいることを信じて。

手がかりは少ない。OASIS TOKYOで活動していて、実験解放区のビジネス・ゾーンでアドバイザーをしていること。現実世界では渋谷に住み、渋谷の会社に所属していること。ほとんど家から出ないこと。それだけだ。

連絡先は交換できなかった。ロットルでは検索に引っ掛からない。現実の渋谷の街をあてもなくひとりで探し回るわけにもいかない。だとすれば、メタバース内を探し回るしかない。OASIS TOKYO は専用の会員権NFTを持っている一万人だけが入れるメタバースだから、住人は一万人しかいない。実験解放区で活動している人間はその中の何割くらいだろう？　少なくとも、渋谷を探し回るより出会える確率は高いはずだ。

実験解放区からM2Mへ

モモは実験解放区に足を踏み入れる。エリアの中央には巨大な像の形状をしたオブジェ「PNSE（ピーエヌエスイー）」がそびえ立っている。心の解放を表現したオブジェだ。実験解放区では、ユーザーや企業が本質的で豊かなコミュニティを共創し、そのプロセスを通してさまざまな刺激や学びを持ち帰ることで現実世界にも何かしらの好影響をもたらすことが目指されている。そのためには、これまでの人生や日々の生活で培ってきた固定観念や既成概念から自由になることが必要だ――「PNSE」にはそんなメッセージが込められている。

モモはまず、マインドフルネス・ゾーン入り口のヨガドームに隣接しているDID登録所に向かう。OASIS TOKYOの住人は、住人としての資格をSBTとしてDA

DID
Decentralized Identity＝分散型ID。web3時代の到来により国や行政など中央集権的な組織がIDを発行する可能性がある。運転免許証や住民票のようなものではなくブロックチェーンネットワーク上に記帳されたIDで、これとweb3時代の必須ツールであるウォレットが密に連動しながら普及していくものと予想される。

Oから付与されていて、それがログイン時の認証代わりになっている。その証明書を発行しているのがＤＩＤ登録所だ。だからここには全ユーザーのさまざまな情報が登録されている。いわば、現実世界の役所みたいなものだ。役所に行けばコウタのことが何かわかるかもしれない、モモはそう考えた。

　ＤＩＤ登録所には、登録作業の補助をしてくれるＡＩ搭載の**デジタルヒューマン**が数人いる。彼らは全員同じ三〇代の男性の顔をしているが、一人ひとり名札が付いており、名前があるようだ。スタンバイ状態で直立している二体を見ると、miinとアメユミと書いてある。彼らは警備員のような制服を着ていて、近寄ると笑顔になって「何かお困りでしょうか?」と話しかけてくる。

「住民について知りたいんですが、データベースを確認できますか?　現実世界で知り合った人を探しているんです」

「ここも現実世界です」miinは笑顔で応える。「誰に対してどの程度の個人情報を公開するかを決めるのは個々人の選択によります。それがＤＩＤの考え方です。ＤＩＤ登録所でできることをもっと知りたいですか?」

「どんなＤＡＯに参加しているかも見られないですか?」

SBT
SoulBound Token＝譲渡不可能なＮＦＴ。誰かに譲ったり売却したり保有者を移転することができないＮＦＴ。イーサリアムの開発者であるヴィタリック・ブテリンらが提唱した概念で、自身の経歴を証明するＩＤのような使い方や、金融市場における信用の証明、イベントチケットなどに活用が期待されている。

DAO
Decentralized Autonomous Organization＝分散型自律組織。ブロックチェーン上で運営される民主的な組織・コミュニティのこと。中央集権的な管理者が存在せず、トークンを保有するコミュニティメンバーの投票等で取り組む内容やその方向性を決めている。

「あなたのＤＩＤを照会します、照会しました、サラ様、何かお困りですか？」アメユミが笑顔で答える。

「コウタという名前の人が、どこで何をしているか知りたいんです」

「照会します、照会しました、この方の公開情報は以下三点です、本名はコウタです、渋谷区に住んでいます、ビジネス・ゾーンでアドバイザーをしています。ＤＩＤ登録所でできることをもっと知りたいですか？」

「……ありがとうございます。もう大丈夫です」

モモは登録所を後にして、次はラブ・ゾーンに向かう。


ラブ・ゾーンは人種や性別を超えて出会いの機会を創出する場所で、誰かと出会ったり、出会った者同士がたがいの相性を確認したり、言葉を交わし合ったりする場所として利用され、人気投票イベントもたびたび開催されている。

いくつかのエリアに分かれているが、モモは以前「アンテロス」という出会いの場を利用したことがあった。ギリシャ神話における返愛の神アンテロースが相互愛や同志愛の象徴とされることから、双方の気持ちが通じ合うようにと名付けられた場所だ

デジタルヒューマン
人間の姿にそっくりのＡＩアバターのこと。音声認識と自然言語処理により感情の伴った「人間味」が創出されたＡＩのことで、顧客とのコミュニケーションを通してカスタマーエクスペリエンス（顧客体験）を向上させると言われている。メタバース上での表現のため混乱するかもしれないが本書ではプログラミングにより自動で動くメタバース上のＡＩアバターを指す。アバターを含めすべてがデジタル空間のメタバースで「デジタルヒューマン」とは皮肉だが、ここではＡＩ搭載の無機質な存在を「デジタル」と呼ぶ。

った。ロットルの遺伝子情報とも連携しているため相性が悪い人はいないはずだが、当時はまったく楽しむことができなかった。以来、ラブ・ゾーン自体まったく利用していない。モモは、「アンテロス」でうまくコミュニケーションが取れなかった理由が当時はわからなかった。だが今はわかる。ここで重要なのは、相手の立場に立ち、異なる価値観を受け入れる心のスタンスだからだ。

生身の身体ではなくアバターとして出会うメタバースでは、現実世界での外見や若さはほとんど無意味だ。みんなアバターをカスタマイズするから、誰もがトップモデルか有名俳優のようだったり、動物やドラゴンなど架空の生き物だったりする。モモだって韓国のトップアイドルと瓜二つになるようにアバターをカスタマイズしているのだ。つまり、メタバースやアバターの発展は、人を外見から自由にしたと言える。

外見を自由に設定・変更できる世界では、個々の考えや美的センスは反映されても、外見そのものがアドバンテージになることはない。アドバンテージになるのは、見返りを求めない利他的な姿勢や自主的で協力的な行動、多様な価値観や違いを受け入れる柔軟性など内面的なもの、つまり心のあり方だ。

そんなものは、当時のモモにはなかった。だから誰ともうまくコミュニケーションを取ることができなかった。現実世界ならそうはならない。モモと会うと、誰もがその外見の美しさに目を奪われる。だから放っておいてもコミュニケーションははじまる。だがそれはモモがはじめたコミュニケーションではない。相手がモモに合わせているだけなのだ。

モモは久しぶりに「アンテロス」に入っていく。入口でアバターがスキャンされてＤＩＤが照会されると、これまでの経歴や累計オアシスコインなどをもとにランク付けがなされる。それによって参加者が振り分けられ、グループ分けされた部屋に案内される。そこに集まる人々は、遺伝子情報というよりはむしろ、少しの努力と偶然によって出会える人々だ。遺伝子に基づく出会いが当たり前になったこの時代において、偶然による出会いはむしろロマンチックなものだと考える人が増えていた。

扉を開けるとボールルームが現れ、アバターたちが談笑し合っている。ただ楽しそうにおしゃべりをしている人たちもいれば、手をつなぐ人、ハグをする人、食事を一緒に取る人、何らかのゲームに興じている団体もいる。個室もたくさん用意されていた。そこで行われるのは、基本的にＡＩにはできないホモ・サピエンスならではの確認項目。これにはセックスも含まれる。モモは勇気を出してひとりの男に声をかけた。

「あの……」

「はい？」

「……」

「ん？」

　しかし次の言葉が出ずにモモは沈黙してしまう。何を言えばいいのかわからない。リアクションで話を進めるのは得意だったが、自発的にアクションを起こすことは難しかった。現実世界なら男が先に動いてくれるのに。会話に苦労することなんてほとんどないのに。

「あの、人を探しているんですけど」

「どんな人？」と男は答えた。男のアバター名はサムという。

「どんな……コウタっていう名前なんですけど。現実世界で」

「アバター名は？」

「わからなくて」

「アバター名がわからない。なるほど、こっちでは会ったことがないんですね。他の情報は？」

「他……ビジネス・ゾーンでアドバイザーをやってることくらいしか……」

「それやったら、ちょっとわからないですよね。いろんなプロジェクトがあるから」

「そうですよね……」

「はい」

「……」

「……え、それだけ？」

「はい。すみません」

「特定の誰かを探してるなら、ここはあなたの来る場所ではないと思うけど。ビジネス・ゾーンにはいなかったんですか？」

「いえ、そっちにはこれから行こうと思ってて。その前に一度こっちを見てみようと思って」

「はあ。そうですか」

「そうなんです」

「……あの、ちょっともう行かないといけなくて……」

「すみません。ありがとうございました」

そうしてサムは別の女性と姿を消してしまった。

なんとなく屈辱的な気持ちを抱えながら、アンテロスを出てラブゾーンの中をどこへともなく歩く。

「恋愛コンシェルジュ」と書かれたネオンサインが目に入った。見ると、ある施設の脇にコの字形のカウンターで区切られた案内所のようなスペースがあり、その中に、白のニットワンピースを着た長くて明るい髪の女性がいる。アバターの頭上には「恋愛コンシェルジュ・たぬきち」と書いてあった。恋愛コンシェルジュとは、人々の恋愛相談を聞き、共感を示しながらアドバイスしてくれる人のことだ。共感や思いやりを持って対話することはＡＩにとって難しいため、こうした職業の需要が高まり、現実世界でもメタバースでも人気職種の一つになっている。

たぬきちと目が合った。「こんにちは」とモモはあいさつをした。「こんにちは」と相手が微笑んだ。その笑顔を見て、この人に話を聞いてもらいたいと思った。モモはこれまでの恋愛体験を一気に話し、最近また新たな恋をしていて、今その人を探しているのだと伝えた。

「そっか。サラさんは、結構直感的に恋しちゃって、好きになるとのめり込んじゃうタイプなんだね。それって素敵なことだと思うし、あなたの長所だとも思う。だけど、今のままだとまた大事な人を失っちゃうかもね。ただ、方向は間違ってないと思う」

たぬきちは確信めいた言い方をする。どういうことですか、と素直に聞いてみた。

「そうねえ、どう言ったらいいんだろう……でも、本当は自分でもわかってるんじゃない？ 感情的になっちゃうんでしょ？ ヨガを始めて自分と向き合うようになって、ここ数年でちょっとはマシになってきたんだろうけど、根本からはまだ納得できていないというか。『私はこんなに頑張ってるのに大事にされない』って思ってない？」

その通りだった。返す言葉がない。

「たぶん、それじゃダメなのね。何かしてもらうのを待つんじゃなくて、あなたに何がしてあげられるか考えなきゃ。そうでしょ？ サラさんはきっと、人生の分岐点にいるんだと思う。ここでどんな選択をするかで今後の人生がまったく変わってくる可能性がある。だから間違えないようにしないとね」

しかし、そんなことを言われても、具体的に何をどうすればいいのかわからない。どうすればいいんですか？

「そうねえ……きっと、TAKEじゃなくてGIVEすることね」

「それは……OASISのコンセプトと一緒ですね」

「あなたのお母さんはそこまでわかっていて、この世界にあなたを導いたんじゃないかな？　今のあなたに必要な言葉はここまでみたい。頑張ってね」

「ありがとうございます。……お支払いはオアシスコインでいいですか？」

「ああ、いいのいいの。私これボランティアだから。これが私のGIVEなの。もし、あなたにできることがあったら、私じゃなくてもいいからコミュニティの誰かにGIVEしてあげて」

「そうですか……ありがとうございました」

　モモは頭を下げ、ビジネス・ゾーンに向かう。


　ビジネス・ゾーンはモモにとってもっとも馴染みのないエリアの一つだった。まだ足を踏み入れたことさえない。ここでは企業やブランドとクリエイターによるさまざまなコラボレーションが実験的に行われ、コラボレーションで生まれた商品はデジタルツインとしてメタバース内だけでなく現実世界でも販売されている。売上の3％は

OASIS TOKYOや現実社会のさまざまな課題解決のために寄付される。こうして寄付で循環する社会を創るのも、ここの特徴の一つだ。イノベーションが生まれる場として各所で注目されていたが、モモはそのイノベーションに参加する側ではなく、それによって生まれたものを享受する側、価値の消費者だった。

とりあえず一周してみる。さまざまなオブジェや商品などの成果物が展示され、多くの人々が集まって熱い議論を交わしている。モモはため息をついた。どうやってコウタを見つけ出せばいいのかわからない。そもそも現実世界とは顔も名前も違うのに、彼を見つけ出せると思ったのが見当違いだったのかもしれない。

手がかりがなく、半ば諦めの気持ちであてもなく徘徊していると、「サラさん」と呼ぶ声がする。振り向くと、サムだった。

「見つかりました？　探してる人」

「いや、ぜんぜん……」

「まあそうでしょうね。現実世界で探したほうがいいのでは」

「それも手がかりになるものがなくて……」

「本当に何一つ手がかりがないんですか」

「一度だけ会いました。でも連絡先を知らないんです。渋谷に住んでいて渋谷の会社で働くエンジニアだとは言ってたんですけど」

「だったら現実世界の渋谷で探したらいいじゃないですか。渋谷の『M2M』って行ったことあります？　OASIS TOKYO の会員権NFTを持ってる人だけが入れる会員制バーなんですけど。そこに行ってみたらどうですか。東京に住んでいて実験解放区を利用している人が集まるとこなんで、少なくとも何かしらの情報は手に入るでしょう」

「そんなお店があるの、知らなかったです。変わった店名ですね」

「Metaverse to Metaverse の略語らしいです。意外といるんですよね、せっかくNFTホルダー限定の特典なのに、全然このユーティリティを活用しない人。もったいないですよ。『M2M』、すごくいいコミュニティですよ。うまく表現できないですが、今の時代にあんなに居心地いいところはあまりない」

「サムさんもよく行くんですか？」

「ぼくは時々ですね。最近はもっぱらメタバース上で生きてるので」

モモは『M2M』の住所を教えてもらうと、サムに礼を告げていつもの部屋まで戻り、ベッドの上でログアウトする。

ユーティリティ
保有していると受けられる特典・機能・権利のこと。web3、NFT業界用語として多用される。ここで言うユーティリティとは会員制バーに入場しサービスを受けられること。

NFT Holder Only

渋谷は混み合っている。今日も人と人とが肩をぶつけ合い、呼び込みや3D・ホログラム広告の音がうるさい。

モモが住んでいる五反田から渋谷までは電車で数分。こんなに近いのに、街の様子はまったく違っていた。五反田駅前からはかつての活気が消え、飲食店やカラオケ屋がなくなり、代わりに極小集合住宅や**AI老人ホーム**、**個室XRカフェ**などが増えた。買い物や散歩をする人はほとんどおらず、夜は真っ暗になってしまい、若者も少ない。一方で渋谷は、百年に一度と言われる再開発を終えて駅前にいくつかの高層ビルが建てられ、高層部にはオフィスが入り、低層部は大規模な商業施設で賑わう。

ひとりで歩く渋谷はさみしかった。モモは桜丘の坂を上がっていく。桜丘地区には

AI老人ホーム
介護職員の肉体的・精神的負担を軽減することが可能な施設。介護業界の慢性的な人材不足及び少子高齢化に伴いテクノロジーの活用が期待されており、今後は人間と変わらないレベルでAIが感情を理解できるようになることで、普及が進むようになるかもしれない。

三棟の高層ビルが建てられ、二万六〇〇〇平米という広いエリアで再開発が行われた。そのため昭和の面影を残すかつての街並みは様変わりしたが、一歩脇道に入ると寂れた雑居ビルや個人商店の跡が残っている。モモは桜丘の坂を上がったところにある雑居ビルと雑居ビルの間の細い路地に入った。その場所を知っている人でなければ気付かないような細い道だ。道の奥に扉がある。扉には『M2M』というネオンサイン、その下に小さく「NFT Holder Only」と書いてある。

扉の前に立つと、カチャリと解錠される音がして「認証しました」という機械的な音声が流れる。扉が横にゆっくりと開く。中は暗くてほとんど見えない。躊躇していると「奥へ進んでください」という音声。おそるおそる暗闇に右足を踏み入れ、左足を踏み入れた。後ろで扉が閉まり、完全な暗闇になった、と思った瞬間に明かりがついた。モモは今、人がふたり並べるかどうかという細い廊下に立っている。数メートル進むともう一つ扉があり、大きく「ENTRANCE」の文字。今度は自動で扉が開いた。そこから先がバーだった。

間接照明で照らされた薄明かりの店内を見て、秘密基地のようだとモモは思った。中央にアイランドキッチンのような長方形のカウンターがあり、カウンターを囲むよ

個室XRカフェ
今後メタバースなどのバーチャル空間での滞在時間が増えることが予想される。VR空間上に移動する場合は自宅以外にも手軽にアクセスできる場所のニーズが増加すると思われる。現在のマンガ喫茶のような空間を想定。詳細は112ページ。

NFT Holder Only
NFT活用の現在のトレンドとして「特定コミュニティにアクセスする会員証」があり、リアル・バーチャルにかかわらずNFT保有者限定の場所・コミュニティが今後も増えていくことが予想される。

うに一〇人ほどの客が座っている。カウンターの真ん中にはフレッシュフルーツが盛られていた。ソファ席も数席あり、奥には個室もあるようだ。小さな雑居ビルのバーだが、壁の片面が鏡張りのせいか広く感じる。鏡の反対側の壁にはいくつもの絵画やイラストが飾られていた。**ジェネラティブＮＦＴ**を実体化したものだろうか。棚にはモモが見たこともない珍しい酒が数多く並んでいる。今では高級嗜好品になったシーシャを吸っている人もいる。

午後五時台とまだ早い時間だからか、客の入りは六割ほどだった。モモが入った時、ほとんどの客がモモのほうを向き、微笑みながら軽い会釈をした。「こんばんは」と声に出してあいさつしてくれる人もいる。なんだか優しそうな人が集まっているんだなとモモは感じた。こういう店は常連同士の結びつきが強く、一見（いちげん）さんには厳しいと思っていたのだ。でもこの人たちは、今日初めて来店した私を無視するでも拒絶するでも警戒するでもなく、同じメタバースの会員権ＮＦＴを持つコミュニティメンバーのひとりとして受け入れてくれたんだ。モモは良い気分になってカウンター席に腰を下ろした。

バーテンダーが見当たらなかった。客席でサーブしているのだろうか。店内を見回

ジェネラティブＮＦＴ

コンピューターにより自動生成され一つひとつが異なるＮＦＴのこと。人の上半身画像のイラストのＮＦＴを1万体制作する場合、髪の色、肌の色、顔のパーツ、服装、アクセサリーなどの複数パターンを制作しこれらを掛け合わせて制作していく。

してみるが、スタッフらしき人は見つけられない。メニューもない。店の雰囲気から、どのお酒も高いんだろうと予想はつく。オアシスコインは使えるだろうか？　目の前にある銀のビールサーバーに「OASIS TOKYO Beer」というグラフィックのロゴがあった。壁の一部には誰のものかわからないが筆記体のサインがいくつかある。数々の有名人やインフルエンサーたちとコラボレーションをしているから、もしかしたらその中の誰かがこの店の常連客なのかもしれない。全部はわからなかったが、「SAKIKO」「HARUNA」と書いてあるサインだけは解読できた。

それにしてもバーテンダーが来る気配がない。少しずつ不安になってきた。新規の客をこんなに放っておいていいものだろうか？

「注文ですか？」

声をかけてきたのはスタッフではなかった。隣でカクテルを飲んでいた女性客だった。長い黒髪が艶やかで、モモと同世代に見える。白いTシャツに黒のタイトなロングスカート、黒いショートブーツ。シンプルであまり着飾っていない。肩の力が抜けていて、常連さんだなとモモは思った。照明のせいか酒のせいなのか、ナチュラルな雰囲気で血色が良く、肌がきれいでヘルシーな印象だ。

「ここ、セルフなんですよ。初めてですか？」

助かったとモモは思った。こういう時、ひとりの女性はおじさんたちのターゲットになってしまう。そんな状況を楽しめる人もいるだろうが、モモはそういうタイプではない。だから同世代の女性が話しかけてくれて嬉しかった。

「そうなんです。ちょっとシステムがわからなくて」

モモはその女性に身体の正面を向けた。あなたと話したいんですという意思を伝えるためだ。

「店にあるお酒、どれも好きなだけ飲み放題なんです。なんでも勝手に取り出して大丈夫。冷蔵庫にはソフトドリンクもあるから、自分でカクテルをつくることだってできちゃいます。よかったら私、作りましょうか？　何にします？」

「えっ、いいんですか？　ありがとうございます。……じゃあ、せっかくバーなので、ジャック・ターっていうカクテル作れますか？」

「聞いたことないですけど、レシピを調べてみますね」

「ありがとうございます」

ジャック・ターは「水夫」という意味のカクテルで、昔よくモモの父が家でつくって飲んでいたものだ。ラムをベースに、ピーチやハーブのリキュールを加える。父がこのカクテルを好んだのにはいくつか理由があった。ジャック・ターが横浜中華街にあるバーを発祥としたカクテルであり、まさにそのバーで母と出会ったこと。父にとって自分と同じ名前のカクテルであること——モモの父の名はジャック・スミスという。久々にバーに入ったモモは、母との思い出を幸せそうに語りながら家でカクテルを飲む父を思い出したのだった。

「あっ、材料あるから作れそうです」

「ほんとですか、ありがとうございます！　あの、私、モモといいます」

「ユウです。はじめまして」

ユウがにっこりと笑う。なんていい子なんだろうとモモは思う。なんとなく、この子とは初めて会った気がしない。もしかしたら、自分のヨガクラスに来てくれている人かもしれない。

ユウが棚からお酒のボトルを取り出す。ラム、サザンカンフォート、ピーチリキュールにレモンジュース。桃のラベルが貼られたボトルを見てハッとした。もしかしてパパがこのお酒を好きな理由って……？　いや、そんなわけないよね、だったら桃がベースのお酒にするでしょ、とすぐに自分で否定する。

「できました！　混ぜただけだけど」

ユウがカウンターに琥珀色のカクテルが入ったロックグラスをふたつ置く。ふたりは乾杯した。

甘くて口当たりの良いカクテルだった。お酒の味は環境に左右される。同じお酒でも、飲む場所や相手によって微妙に味が変わるものだ。このジャック・ターは特別上品でおいしく感じられた。『M2M』という店のおかげなのか、ユウのおかげなのか。たぶん両方なんだろうとモモは思った。

「私たちって以前にどこかで会いましたっけ？」とモモは聞いてみる。「なんか、あんまり初対面な感じがしなくて」

「実は私もそんな気がしてたんです。モモさんの声、聞いたことあるような……」

「こっちじゃなくて、あっちですよね？」

ユウがにやりと笑う。「あの、言ってもいいですか？　モモさんってヨガやってます？」

「やってます……！」

「やっぱり。ヨガドームで働いている……？」

「もしかして……この声は、テレサ？」

「サラ先生～！」

ふたりは思わず手を取り合ってハグをする。

「やばいめっちゃ嬉しい～！」

「ね～！　いつもめんどくさい質問ばっかしちゃってごめんなさい！」

「全然！　すごい賢い子だと思ってた。同世代くらいですよね？」

「私、二七です。先生は？」

「私、二八だからほぼ一緒！　敬語やめて、名前で呼び合わない？」

「じゃー、モモちゃん？」

「私はユウちゃんって呼ぶね。アバターもかわいいけど、現実のユウちゃんすごいかわいいね、大人っぽいし」

「いやいや、モモちゃんこそ、アナウンサーにいそう！　もしかして？」

「またまた〜。私、現実でもヨガインストラクター。昔はＩＴ企業でマーケティングをしてたけどやめたの」

「私もＩＴ系です！」

「えー！　すご〜い一緒一緒！」

まさか知り合いがいるとは思っていなかったモモは、自分でも驚くほど喜んでしまう。ふと周囲が気になったが、他の客たちは微笑ましいという感じでふたりを見ていた。しかしもう少し声のボリュームを落とそうと思い、「ユウちゃんはよくここに来るの？」とさっきよりも小さな声で聞いた。

「うん、私、渋谷で働いてるから。ひとりで飲める店ってなかなかないし、ここは優しい人しか来ないからね。やっぱあっちに行ってると性格がちょっと変わってくるよね。本来の自分に近づいていくというか」

「そうなんだ。私、ヨガドームしか使ってないからあんまりわからないけど、これからはメタバースで過ごす時間を増やそうと思ってて」

「うん、絶対そうしたほうがいいと思うよ。OASISって今すごい価値上がってて、めちゃくちゃな値段でＮＦＴ転売されてるでしょ？　せっかく入れる権利があるなら使わないともったいないし」

「うんうん、そうだよね」

「モモちゃんはいつからＮＦＴホルダーなの？」

「大学に入った頃だから、もう一〇年くらい前かな」

「え！　初期ホルダー！　なんでそんな頃から？」

「お母さんがOASISの土地、LANDとアバターを買ってて、私のために取っておいてくれたの。将来への投資として。だから自分の部屋があるんだ」

「すごい。先見の明ある賢いお母さんだね。うちとは全然違うや」

「でも私、ちょっと離れてた時期もあるから」

「なんで？」

「まあ……なんていうか、その、失恋？」

「失恋かあ。それはねえ〜、離れたくなるかもね〜」

「そう。だからこういう、リアル店舗に入るときの認証とかコミュニティへのアクセス権とかも、ほとんど使ったことなくて」

「そうなんだね。じゃあさ、『Ｍ２Ｍ』には今日から通おうよ。私はしょっちゅうここにいるし。みんな優しいからこうやってすぐ友達になれるよ、ねえ、ＢＢＢさん？」

ユウが隣にいた着物姿の男性に声をかけた。濃紺の着流しに黒の帯を締めている。ＢＢＢと呼ばれた男は他の数人と談笑していたが、ユウに話しかけられると振り向き、

「ここ悪い人来ないから安心して来てくださいよ」と微笑みかけた。はい、とモモは頷く。

「この人ね、ここのオーナーさん。元々**メタバースクリエイター**だったの。彼女はモモちゃん。私のヨガの先生」とユウがふたりをつなぐ。

「ヨガは良いですよね。無心無我になって自分から離れられる瞬間があるからぼくも好きです」

「いつもそうあれたらいいんですけど、なかなか普段からは難しくて……。メタバースクリエイターって、なにをやってたんですか？」

「メタバース上で建物やアバター、ゲームをつくってました」

「あれとか」とユウが壁に飾られたブロックを組み合わせたような見た目の３Ｄボクセルを指差す。「結構、有名な作品なんだよ。あのへんの作品がすごい値段で売れたおかげでこの店ができたようなもんですよね？」

メタバースクリエイター
メタバース内でクリエイターとして創作活動する人のこと。現在はメタバースごとに仕様が異なるため、それぞれにおいて理解を深める必要がある。メタバース上での滞在時間が増えることで制作需要が増えており、新たな職業として期待されている。

「まあね」

「すごい。そうなんですね。私、クリエイティブ系は疎くて」

「昔の話ですけどね。モモさんはこの店、初めてですよね？　どんなきっかけで来ていただいたんですか？」

「メタバース内で知り合った人に勧められたんです。あそこは良い場所だよって」

「それは嬉しいな。誰だろう」

「たしか、名前はサムさんでした」

「ああ、彼か。最近あっちの世界が楽しいみたいでね、以前ほどは来なくなっちゃったんですよ。毎週必ず来てたのに。彼、元気ですか？」

「あー……実は偶然会っただけでほとんど知らない人なんです。私、人を探してるんですけど、そのサムさんが、ここに来ればなにかわかるんじゃないかって教えてくれたんです」

「へえ。それはどんな人？」

「ビジネス・ゾーンでアドバイザーをしてる人で、本名はコウタっていうんですけど……」

モモは一通りコウタの説明をした。

ＢＢＢとユウは頷きながら真剣に聞く。

「その人、たぶん見つかると思うな」とＢＢＢが言うと、「私もそんな気がする」とユウも同調する。

「ユウちゃん心当たりあるんじゃないの？　ぼくはバーのオーナーである以上、お客さんの情報は教えられないんだけど」

「うん、私ちょっと心当たりある。昔の上司がコウタって名前で、実験解放区のアドバイザーをやってるんだよね。コウタって珍しい名前じゃないから、モモちゃんが探してる人と同一人物かわからないけど。一緒にその人探してみる？」

「え、いいの？」

「ビジネス・ゾーンに入り浸ってる人は掲示板のまわりに集まってくるから、探すのはそんなに難しくないと思う」

「ありがとう。ユウちゃん優しいんだね」

「優しさっていうより、困ってる人を助けようとするのは人間として当たり前のことだと思う。もちろん、それを優しさと呼んでもいいんだけどね」

「ありがたいなあ」

「いつ行く？　私はいつでも大丈夫だよ。明日でも、明後日でも、一週間後でも」

「じゃあ、明日はちょっと用事があるから、明後日でどうかな？」

「うん、じゃあ明後日にしよう。午後の五時頃でいい？」

「うん、ありがとう！　こういう時って早く行動したほうがいいと思って」

「うん。私もそう思う」

「うまくいくことを祈って」と、ＢＢＢが自分のグラスをモモとユウの前に突き出す。

ふたりはＢＢＢと乾杯し、カクテルを飲み干した。

インナーチャイルド

Inner Child

翌日、モモはヨガドームの一室にいた。受け持ちのクラスがあるのではない。ヨガの先輩ミカのパーソナルレッスンを受けるためだ。先輩のレッスンは瞑想がメインで「自分の心の中を旅して新しい自分に出会うことができる」と巷で評判で、数カ月先まで予約が埋まっている。しかし、一〇日ほど前に連絡を取り、個人的なつながりで休憩時間に無理やり時間を取ってもらったのだ。コミュニティはＧＩＶＥの循環で成り立っている。コミュニティメンバーは自分ができることは何かを考え、行動する。今回もモモのためにできることがあるならと快く受け入れてくれたのだ。

「私のパーソナルレッスンなんて久しぶりじゃない？　どうしたの？」

七〇平米の部屋にはモモとミカしかいない。ミカとはOASIS TOKYOで出会った。

彼女はモモにインストラクターとしての基礎を教えてくれた先輩であり、何でも話せる姉のような存在でもある。現実世界ではモデルをしているとのことだ。ふたりは部屋の中央で向かい合う形にヨガマットを敷き、その上であぐらを組んでいる。モモはベージュのブラトップにブラウンのレギンス、ミカは白いタンクトップとベージュのレギンスと、ふたりともクラシックなヨガウェアを身に付けていた。

「また同じ間違いをしちゃったんです。感情がコントロールできなくなっちゃって」

「あ、てことは、そういう素敵な人と出会えたってこと？　それ自体はいいことじゃない」

「だからこそ、ひどい態度取っちゃって後悔してて……」

「誰だって完璧にはなれないよ。まずは完璧じゃない自分を認めてあげて、それからどうやって自分と付き合うかを考えなきゃ。それに、完璧にコントロールできたらそれはもう感情とは呼べないんじゃない？」

「そうですよね……」

「ま、まずは瞑想してみよっか」

「はい……」

　ふたりは目を閉じて、ミカのナビゲートにより瞑想をはじめる。だがモモはコウタのことを考えてしまい、なかなか集中できない。ようやく意識が呼吸に集中し始めた頃、三〇分経ったことを知らせるタイマーが鳴った。ストップ、とミカが音声認識でタイマーを止めた。

「全然集中できなかったんでしょ。呼吸、荒かったね」

　ミカの言葉で目を開けると、まだミカは座禅を組んで目を閉じたままだ。モモは慌てて目を閉じた。

「どうしても彼のことを考えちゃって。ようやく瞑想できたと思ったらもう三〇分でした」

「じゃ、目を閉じたままで、ちょっとセッションしようか」

「お願いします」

「まず、手のひらを返して、膝の上に包み込むように置いて」

　言われた通り、モモは上向きにしていた手のひらを返して膝の上に置く。

「次に、手の温かさを膝で感じてみて」

　手は少し冷たかったが、手のひらの真ん中あたりに体温を感じた。

「そうしたら今度は、その熱が膝から太ももに伝わっていくのを感じて」

手のひらの真ん中から膝、太ももへと、体温がじんわり伝わっていく。

「その熱がお腹、胸、全身へと、ゆっくり広がっていく。身体全体が温かく包まれるのをイメージしてみて」

言われた通りにイメージすると、なんとなく身体が温まっていく気がして、リラックスしている自分を感じた。

「今度は、自分の目の前に、広い海が広がっているのをイメージしてみようか。ゆっくりと呼吸を続けて、身体をリラックスさせて。イメージできてる？　喋ってもいいよ？」

「はい。海、イメージしてます」

「波一つない、静かな海が広がっていて。自分は今、砂浜に立って、その静かな広い海を眺めている」

「はい……静かな……広い海……」

その海の中に、あなたはゆっくりと、入っていきます。深く、深く、入っていく……暗い海の底を歩いていきます……歩いて、歩いていくと、そこは、どこか、懐かしくて遠いところにつながっています……どこにつながってるかな？　そこには、誰かがいる？　それとも、あなただけ？　今、あなたの頭に浮かんだ風景を私に教えてくれる？

「少女です……」とモモは答えた。「小さな女の子がいるかもしれません」

何歳くらい？　一〇歳くらいだと思います。どんな表情？　幸せそう？　幸せではない気がします。どうしてそう思う？　なんとなく、さみしそうだから。なにがあったのかな？　わかりません。そうだよね、わからないよね、じゃあ、その子に直接聞いてみたらどうかな？　……答えてくれないです。じゃあ、よく見てあげようか、その子のこと。答えてくれなくても、言葉じゃないところでメッセージを発しているかもしれないでしょ？　その子は、なにをしてほしかったのかな？　その子の目は、誰を見ていたのかな？　その子は……背中を見ていたのかもしれません……父親の。父親の背中を見ながら、さみしさを感じていた？　はい。その子は父親になにをしてほしかったんだと思う？　……抱きしめてもらいたかったんだと思います。うん、そうだよね、父親には、ちゃんと抱きしめてほしいよね。でもちゃんと抱きしめてもらえなかった、だからさみしかった。それは、かわいそうだよね？　はい……。じゃあ、かわいそうだね、と認めてあげたらどうかな、その子のために。そうしてあげたいです。抱きしめてあげたらどうかな。そうしてあげたいです。じゃあ、そうしてあげようよ、ね？　はい……。かわいそうだったね……大変だったね……まだほんの、子どもだったのにね…………。

いつの間にかモモは涙を流していた。小さい頃の記憶がよみがえる。父親に抱きしめてほしい、幼い彼女の願いはただそれだったのに、父は軽く自分をハグすると、さも面倒だというように「はい、これでいい？」と吐き捨て、さっさと自分の作業に戻ってしまったのだ。どうして？と幼い彼女は思った。たまにしか会えないのにそんな仕打ちをするのは、愛していないから？　子どもが嫌いだったの？　私の存在がじゃまだったの？　だからあんなに私に無関心だったの？

あの頃言語化できなかった感情に言葉を与えると、二〇年以上昔の出来事なのに、たった今起きたかのように心が痛む。父のことが苦手だと感じるようになったのはあれからだ。人の気持ちを想像できずに自分の意見を押し付ける自分勝手な人間、それが父という人間なのだと解釈した。父とは次第に距離を取るようになり、期待することをやめた。父が仕事をやめて空手道場の運営に専念するようになると無理やり道場に連れていかれ空手をやらされたが、もちろんずっと嫌で、やめたくてやめたくて仕方なかった。だから高校卒業後にすぐやめた。そんなふうに相手のことを考えない自分勝手な父への軽蔑と、それでもどこかで父を肯定したいと思う自分が心の中に同居していて、ずっと苦しかった。

モモは幼かった自分を抱きしめた。少女は震えていた。この子は、ずっと誰かに抱きしめられるのを待っていたのだ。ごめんね、あなたは悪くないんだよ。

「それから、その子はどうなったのかな？」

ミカの言葉でモモは我に帰った。それから？　記憶はそこで途切れている。父の前で爆発的に泣き出した後のことは覚えていない。それから？　それからどうなったんだっけ？　きっと母のもとに逃げ込み、泣きながら理不尽を訴えたのだろう。母なら自分を受け入れてくれる。そうして父の態度を正そうとしたはずだ。だがその記憶がない。母が自分を守ってくれたなら覚えていそうなものなのに。泣き出した後、なにがあったんだっけ？　思い出そうとすると胸のあたりがムカムカする。

「今のあなたは記憶に蓋をしている状態。その蓋を、ちょっと開けてみようよ。その子のためにも」

その子のために……。

その子は、大声で泣き叫び、手足をめいっぱい動かして必死に悲しみを訴えた後、疲れ果てて眠ってしまったのだった。どこで？　誰かの腕の中で。誰の？　母のではない。だとしたら、誰の？

「もしかして、お父さん、かな？」

そんな。そんなはずは……。いや、そうかもしれない。あの家には、自分と母と、父しかいなかったのだから。

「あなたは、お父さんの腕に抱かれて眠ったのね？」

おそらく。

「そのことを、今まで忘れてた？」

おそらく。

「ほんとうに忘れてた？」

ほんとうに、忘れていました。

「ほんとうに？」

……ほんとうなのだろうか。薄々気付いていたのではないか。気付いた上で、認めたくなかったのではないか。父が自分に無関心であり、そんな父の無関心に傷付けられたことがいつしか自分のアイデンティティになっていたから、その認識と矛盾する記憶を意図的に排除していたのではないか。父が眠る自分を抱いてくれていたことが、信じられなかったのではないか。父が自分を愛していたと認めることが怖かったのではないか。

いや、怖いという言葉は正確ではない。父の不器用な愛し方が気に入らなかったのだ。母のように、もっと直接的に愛してほしかった。幼い自分にもわかるようなやり方で愛情を表現してほしかった。父が不器用な人間だと気付いたのは一二歳を過ぎてからだ。その年齢の頃には、すでに父から愛情を得られなかったというアイデンティティが形成されていた。一度かたち作られたものを壊して新たに作り直すことは簡単ではない。少なくとも、一〇歳の少女には不可能のように思われた。だから一部の記憶を、今や意識しないレベルになるまで無意識に封印してきたのだ。

「でも、あなたはもう二八歳。そろそろありのままの自分を受け入れてあげてもいいんじゃない？　だってあなたには、愛される価値があるんだから。そうでしょ？　お父さんだってあの頃からずっと、自分なりにあなたを愛していたんじゃないの。その方法があんまり上手じゃなかっただけでね。でも、お父さんだって、あなたと同じように、不完全な人間のひとりなの」

「……誰だって完璧にはなれない？」

「その通り。目を開けて」

モモは目を開けた。流れ続ける涙のせいで視界がぼやけていたが、ミカが優しい目で自分を見守っていることがわかった。姉というより母のようだとモモは思った。

「あなたはきっと大丈夫。今、あなたは新しい世界の入り口にいる。あとは少しずつ慣れるだけ。焦らないで」

「ありがとうございます……」

「ここを出たら、鏡で自分の姿をよく見てごらん。あなたはそのままで素敵だから。ね？」

「はい……」

「これからのあなたの人生が少しでも豊かでありますように。ナマステ」

バーチャル自然とSDGsの関係性

Relationship between Virtual Nature and SDGs

その次の日、モモはユウと『M2M』で待ち合わせた。前日のミカとのセッションのせいか心がすっきりしている。待ち合わせ時間より二〇分も早く着いた。早い時間のせいか店にはまだBBBしかいない。水を飲みながらBBBと世間話をしているとユウがやって来た。ふたりは店を出て、近くのXRカフェに入る。

XRカフェとはメタバースにログインするためのカフェのことだ。メタバースにいる間は意識だけが仮想空間にあり、身体は現実世界に置き去りにされる。置き去りにされた身体は睡眠時と似たような状態にあり、ある意味無防備でもある。そのため安全な場所でログインする必要があり、二〇三〇年頃から、ログインするためだけのカフェが渋谷や新宿など都市部に登場し人気になった。どのカフェも、店内はリクライニングチェアのある個室もしくはソファのあるカップル席として区切られている。モモとユウは隣同士の個室に入ると、実験解放区の中央にある「ＦＲＤＭ」で待ち合わせる約束をして、それぞれログインした。

現実世界で会ったことのある人とメタバースでも会うのは、場合によっては違和感を伴うものだ。ユウとテレサが同一人物だと知ってからテレサに会うと、自分がどんな態度で相手に接するべきなのか、モモは少しだけ迷ってしまう。ユウとテレサは同一人物だが名前と役割が違うし、何より顔が違う。自分だってそうだ。あっちではモモで、こっちではサラ。今ここにいるのはモモとユウなのか、サラとテレサなのか。あるいはモモとテレサなのか、それともサラとユウなのか？　人は相手によって異なる自分を使い分けているのかもしれないとモモは思った。

「サラ先生！」とユウ（テレサ）は以前と変わりない様子で言う。

「こっちではやっぱり、サラ先生のままでいたほうがいいのかなあ」とモモ。

「どうなんでしょうね。現実と違う自分として生きてる人もいれば、現実の自分の延長で生きてる人もいるし、そのへんは微妙なとこですよね」

「これまで現実世界の人とメタバースで絡むことがなかったから、どうすればいいのか迷っちゃう」

「私もログインしたら、やっぱりサラ先生の前では敬語っぽくなっちゃいます」

「でもさっきまで一緒にいたのに、なんか変だよね」

「ね～」

ふたりはビジネス・ゾーンに入り、企業とクリエイターによる**コラボ**によって生まれた商品やオブジェなどが展示されたエリアを抜け、議論し合う人々を観察しながら奥へと進む。突き当たりに縦横一〇メートルほどの掲示板があった。掲示板には各自が思いついたアイデアや求めているコラボレーションパートナー、実際にコラボした商品や取り組み、OASIS TOKYOから生まれた人気クリエーターのインタビュー動画などが掲示されている。

モモは周囲を見渡す。たしかに人々は掲示板を見上げて話し合ったり、書かれている情報を確認して忙しそうに誰かと連絡を取ったりしている。

「あ、パーシヴァルさん？」

コラボ
今後さまざまなメタバース上での取り組みが加速していくと予想される。ミュージシャンがメタバースライブを開催したり、ファッションブランドと組んでメタバースファッションショーやメタバースアートの美術展を開催したりするなど、大手企業の資本、ブランド、最新技術のweb3スタートアップが補完し合う取り組みが検討されている。また、メタバースやweb3上で新たに誕生したキャラクターと現実世界ですでに知名度があるキャラクター、ブランドがコラボレーションを行う事例も増えていくことが予想される。

ユウが知り合いを見つけて声をかけた。

「テレサ。珍しい。君がここにいるのを初めて見た」

「お久しぶりです」

「久しぶり？　前回会ったのは……ああ、テレサには一〇二一日前にロックミュージシャンＭＩＮＡＭＩのメタバースＬＩＶＥで偶然会っているな。現実世界では一〇九五日前に渋谷の居酒屋で会社の飲み会があったから、ユウにはそこで会っているみたいだな」

パーシヴァルは大きめの濃紺のパーカーを着た男のアバターだった。蛍光ラインが入ったフードを被っている。

「どっちも会ったのは三年前ですよ。久しぶりじゃないですか」

「久しぶりという言葉は曖昧だ。人によって定義が異なるからね」

「あはは。全然変わらないですね」

「人はそう簡単に変わらないし、変わってしまったら別人だ」

「そうそう、その感じですよ」

「君はここで何をしている？　友達と観光か？」

パーシヴァルがモモを見る。

「あ、この人はサラさんです。私が通ってるヨガスクールの先生」とユウが紹介する。

「あ、どうもー」パーシヴァルがモモに頭を下げる。

つられてモモも頭を下げる。

「現実世界では同世代の友達です」とユウが続ける。「一昨日会ったばかりですけど、こっちでは何度も会ってるから、まあ友達って言ってもいいと思います。彼女がある人を探していて、私はそれを手伝ってるんです。パーシヴァルさんと共通点が多いんですよね。現実世界の名前がコウタで、エンジニアで、ビジネス・ゾーンでアドバイザーをやってて。そんな人、コウタさん知りません?」

ユウは笑いをこらえるように話している。

「それはほとんどぼくだな」

「ねえ。私もそう思ったんですよねえ〜」

「他に情報はありますか?」とパーシヴァルがモモに聞く。「アバター名とか、どんなDAOにかかわっているのかとか、サラさんとどんな関係かとか」

「あの……」ようやくモモは口を開いた。「コウタさん、私です……モモです」

モモはパーシヴァルの声を聞いてすぐにそれがコウタの声だと気付いていた。あの特徴的な話し方と胸に響く低い声、忘れるはずがない。

「あ！」と小さく叫ぶ声を聞いて、はじめモモはユウの声だと思ったが、そうではなかった。パーシヴァルが驚いて声をあげたのだった。

「モモさん……？」

「あの時はごめんなさい！」

「その声……本当にモモちゃん？」

「私です。ひどいこと言って飛び出しちゃってごめんなさい。最低でした。あれからずっと後悔してて、謝りたくて……ごめんなさい」

「いえ」とコウタが言う。「ぼくがデリカシーのないことを言ってしまって」

「いや全然、普通のことなのに……私が勝手に……」

「大丈夫です。ぼくは人の感情を想像するのが苦手で。もう会えないと思っていたから驚きました」

「私も。探してよかった。もう一度会いたくて、ずっと」

「あのー、ちょっといいですか？」とユウが割って入る。「お取り込み中すいません。

えーと、私、こんな時に使える素敵な情報を持ってまして、隣のＳＤＧｓゾーンに植林エリアがあるんですが、あそこ、中に**ワープホール**があって隠し部屋に行ける仕組みになってます。そこに入ると人が来ません。音も聞こえません。ていうか、植林エリア自体ほとんど誰も来ません」

はあ、という表情でユウを見るコウタ。

「え、何ですかその表情？　……もしかしてコウタさん、ピンと来てないですか？」

「えーっと、つまり……」とモモが口ごもる。

モモの反応を見てぷっと笑うユウ。

ふたりの女をポカンとした顔で見ているコウタ。

「もう。相変わらず鈍いなあー」とユウがコウタに言う。「私の役目は終わったみたいだから、あとはふたりでお好きにどうぞ。じゃあね」

ユウがモモにウインクすると、ユウの姿が消えた。ログアウトしたのだ。

ユウがログアウトと同時に送ってくれたマップに従って歩くと、すぐにＳＤＧｓゾーンにたどり着いた。実はモモはＳＤＧｓゾーンにも来たことがない。そう告げると、

ワープホール
ｗｅｂ3メタバースは今後ブロックチェーンで相互に接続される（インターオペラビリティ）といわれており、その際にメタバース間も行き来できるようになる。そのようなあるメタバースからもう一方のメタバースへの移動、ワープを想定した穴を指している。

コウタはＳＤＧｓゾーンについて次のように説明してくれた。

ＳＤＧｓゾーンは三つのエリアに分かれている。まずはさまざまなファッションブランドを中心に商業店舗が立ち並ぶエリア。ファッションとＳＤＧｓは近年、密接に結びついてきた。いくつかの研究によると、ファッション業界は大量の水と二酸化炭素を使い、地球温暖化に大きな影響を与えたと言われている。特に二〇〇〇年代から二〇二〇年代まではグローバル的にファストファッションが大流行し、大量の廃棄物も発生した。そうしたことへの反省と、人々がメタバース上に滞在する時間が増えたことが重なって、環境に優しいデジタルファッションが一気に普及し、OASIS TOKYOではＳＤＧｓゾーンにファッションブランドのショップが立ち並ぶようになった。いまやラグジュアリーブランドでもファストファッションブランドでも、発表する新作コレクションはリアルとデジタルで半々の割合になっている。世界的デザイナーのトモコ・イズミがメタバース限定の**ファッションショー**を開催して現実世界で大きな話題になったり、ビジネス・ゾーンとのコラボにより「アンリアルタイム」という人気デジタルファッションブランドが誕生したりしていた。

もう一つのエリアは、巨大な鳥居と賽銭箱の形をした寄付ボックスがあるエリア。

ファッションショー
今後メタバース上での滞在時間が増えることで、現実世界のおしゃれな服を身に着けたいというニーズと同様のことがメタバース上でも起こると想定される。ファッションデザイナー・ブランドはファッションの新作を発表する際にリアルとバーチャルの両方を発表することになるだろう。海外のラグジュアリーブランドではすでにブランドとweb3テクノロジーの企業が合弁会社をつくり研究を進めている。

OASIS TOKYOで販売されるデジタルファッションの収益の10%は自動的にこのエリアに寄付され、投票によって使い道が決まる。実験解放区のコミュニティに参加するメンバーなら誰でも投票できるが、現実的には、ファッションブランドからの寄付が多いこともあり、環境保護団体の活動費になることが多い。

そして三つめのエリアが、ユウに勧められた植林エリアだ。

いつの間にか、ふたりの目の前に森が広がっていた。

「こんなところがあったんですね」

ふたりは木々の間を抜けて森の中へ入っていく。地面には土が敷かれ、足の裏には柔らかい土やさまざまな雑草、小石などを踏む感覚が伝わる。落ち葉の枯れ具合や小石の不揃いな大きさまで再現されていて、限りなく本物の自然に近いようだ。時おり吹く風が木々や葉を鳴らし、風に乗った草木や土の匂いが鼻腔を刺激する。

辺り一帯は高さ二〇メートルほどのクリーンラーチの木が一定の間隔で植林されていた。

クリーンラーチは針葉樹のカラマツとグイマツを掛け合わせて北海道で開発された品種で温室効果ガスの削減に高い効果を発揮する。大気中の二酸化炭素の吸収量が高く、酸素を発生させながら、炭素を蓄える能力も高い。このクリーンラーチが大人の木、成木になるまでの間に吸収する二酸化炭素の量はカラマツの一二〇％とも言われており、ＳＤＧｓやゼロカーボンの文脈で注目されてきた。

ふたりの頭上を数十メートルある木々の葉が幾重にも覆い、葉と葉の間から陽の光が筋になって差し込んでいる。


「この森ってどこまで続いてるんですかね？」

「どうだろう。植林も実験解放区のひとつのプロジェクトに過ぎないからそんなに広くはないと思うけど。見た感じどこまでも森ではあるけれど、このまま歩いていくと、ある地点で突然森ではないスペースになるんだと思います」

「じゃあ、このへんのどこかでお話しします？」

「そうですねー」

二人を高さ二〇メートル近く、直径四〇センチメートルほどの針葉樹が囲い込む。その中でも一際大きい木の前で足を止めた。

「とりあえず座ります？」

モモが巨木の根元に座り、コウタも隣に座る。すると、ふたりの視界にテキストが現れた。

北海道上士幌町に二〇二三年に植えられたクリーンラーチ。高さ三二メートル、目通り幹周り一メートル五〇センチ。OASIS TOKYOコミュニティのメンバーによって植林される。中に空洞がある。

「なるほど、触れるとデータを閲覧できるシステムなのか。現実の自然とリンクしているんだな」

「空洞があるんですね。どこだろう?」

モモが立ち上がり、巨木の後ろに回り込んだところで「あった!」と叫んだ。コウタも腰を上げる。高さ一メートル五〇センチほどの空洞があり、中を覗いてみると下に降りる階段がある。二人でおそるおそる下りていくとワンルームのような地下空間が広がっている。地面には落ち葉が敷き詰められているようだ。「わあ。すごいですね……ここがワープホールなのかな?」

「入ります？」

「でもなんか怖い。暗いし」

「大丈夫でしょ。これもただのデータなんだから」

コウタが屈みながら足を踏み入れると、靴底に土と落ち葉を踏む柔らかい感覚が伝わった。空洞内は入口よりも天井が高く、見上げると、数メートル上空にわずかに光が差し込んでいる。木の穴から光が入っているようだ。

コウタはアイテムボックスからライトを取り出した。空洞の中が黄色い光で照らされる。一面に赤い落ち葉が広がり、まるで絨毯のように地面を埋め尽くしていた。凹凸のある木の内壁は根回りと同じで岩場のように見える。

「すごい」と呟くモモにコウタは手を伸ばす。モモも手を伸ばし、コウタがその手を握り強く引いてモモの身体を引き入れるが勢い余ってモモの身体は前のめりになり、コウタの胸に飛び込む形になった。

「会いたかった……」と、心の声がそのまま漏れてしまったというようにモモが言う。

「ぼくあれから誰とも何もないです」

「いいんですそんなの」モモがクスリと笑う。「私、本当にいいなと思う人に対してはあんなふうに感情的になっちゃうんです。自分の欠点だって自覚してます」

「そうですか……」

「……」

「……」

「あの、コウタさんはどう思ってるんですか？」

「何をですか？」

「私のことをです」

「私のことは……好き、なのかなと」

「ほんとに？」

「はい」

「なのかなと、は、ないほうがいいです」

「そうですか。じゃあ、好きです」

「ほんとに？」

「はい。なぜかは自分でもまだよくわかっていないけど、あれからモモさんのことを考えてました。いつも夜眠る時にモモさんの顔が浮かび、夢の中でモモさんと会い、朝起きると、隣にモモさんがいないことに気付いて落ち込む、そんな日がこの二週間毎日続きました」

「わ、私も！」

「睡眠時間は三時間減り、普段一回あるかないかの就寝時中途覚醒は平均して五回を記録しています。これは睡眠導入剤を利用しても改善されていません。日中の判断スピードも格段に落ちてしまい、仕事上の判断を迷うことが増えました。迷うことはそれ自体損失です。結果として現れるのは数週間先になるでしょうが自覚できていない細かな判断ミスも増えたと思っています。普段のパフォーマンスにこれだけ影響が出るほどぼくにはモモさんが必要なのだと理解しました」

「……つまり私のことが好きってこと？」

「はい。さっきからそう言っています」

「コウタさんっていつもそんな話し方なの？」

「というと？」

「なんていうか、論理的すぎるというか、機械っぽいというか」

「ＡＩが喋っているみたいだとはよく言われるけど、自覚はない。だけどみんながそう言うのだからきっとそうなんだろうな」

「やっぱりそうなんだ。ねえ、座らない？」

「そうしよう」

二人は地面に腰を下ろした。土と枯れ葉は柔らかく、質の良い絨毯の上に座っているようだった。

「なんかここ、ちょっと落ち着くかも」

「そうだね」

モモはコウタに寄りかかり、手を握って「怒ってない？」と聞く。

「なぜ？」

「私あの時ひどいこと言ったから」

「いや、まったく」

コウタがモモの手を握り返し、もう片方の手でモモの肩を抱く。

モモが顔を上げ、潤んだ瞳でコウタを見つめる。

ふたりの間を阻むものは何もない。指と指、目と目を絡ませ合い、たがいに抱き合いながら、身体と心で再会を祝い合う。

「今回はもう変なこと言わないよ」と、甘い抱擁の中でモモが言う。「でもあの時どう思った？　ヤバい女だと思ったでしょ、正直」

「怒るとヒステリックになったり関西弁になったりするんだと思った。生まれはどこ？」

「生まれたのはアメリカ。二歳の頃に神戸に移ってきて、大学は東京。物心ついた時に覚えた言葉が関西弁だったからか、今でもああやって感情が昂ると関西弁が出ちゃうんだよね。よくないってわかってるんだけど」

「感情的になる人が良い恋愛できると思う？」

「できないの？」

「できない。良い恋愛とは、精神的に独立した人間同士が相手の立場に立ち、相手を尊重しながらたがいを高めあう営みのことだ。もちろん他人同士だからすれ違うことはある。ただその時に感情的になるのではなく、言葉で絡まった意図を相手と協力してほどかなければならない。君はこれまで、寂しさを無意識のうちに恋愛で埋めようとして、与えられることが当たり前のスタンスで恋愛していたんだろう。だがそれではバランスが崩れて長くは続かない。もし君がぼくとの関係を真剣に考えているのなら、君は自分の内面と向き合い、感情をコントロールする必要がある……と、**チャットAI**が教えてくれた」

「なにそれ」

鼻で笑いながらも、その通りなんだろうとモモは思った。ここまではっきり言われるとプライドが傷付く。怒りだって湧いてくる。いつもだったら爆発していたかもしれない。だが、不思議とこの時はほんの少しの怒りで収まった。コウタの無機質な言い方に原因があるのかもしれない。コウタの言葉には余計な感情が含まれていない。物事をあるがままに見て、見たものをそのまま言葉にしているような感じだ。

ラブ・ゾーンでコンシェルジュに言われた言葉が思い起こされる。「何かしてもらうのを待つんじゃなくて、あなたに何がしてあげられるか考えなきゃ」「TAKEじゃなくてGIVEすることね」「あなたも自分のGIVEを見つけられるといいね」

モモはコウタの頬に自分の頬をつけた。そうしてコウタが顔を動かした瞬間、コウタの唇にキスした。モモは恍惚として「頭が真っ白になりそう」と思った。

チャットAI

2023年現在、ChatGPTやBingなどのチャットAIが話題だが、今後AIは想像以上のスピードで進化が進むと予想されている。現時点においてはAIが相対的に苦手とされている共感や自ら目標を立てること、正確に手や目を使った複雑で器用な作業も精度高くできるようになると思われる。テクノロジーと寄り添いながら人間にしかできないことを考え、生きていくことが求められるのだ。本書では人間ならではの行為として「恋愛」などのエッセンスを挿入しているが、AIと恋愛する時代もすぐそこに来ているかもしれない。

次第に目の前が本当に白んできて、さっきまで見えていたはずの木の幹の内壁が見えなくなり、なんだか気が遠くなるような気がして、いつの間にか、モモの目に映るのはただの白い平面だけになった。

「……え？　なんか変」

「何？」

「なんか白い」

「何が」

「なにもかも。ぜんぶ。絶対おかしい、ちょっと見て！」

モモの声に驚いてコウタは身体を起こし、周囲を見渡した。

あたり一面、何もなかった。

地面を敷き詰めていた絨毯のような土や枯れ葉も、自分たちを包むようにしていた樹木の幹の中の空洞も、その木さえもなく、周囲に広がっていたはずの森が消えていた。一切合切何もかもが消え、ただ白い平面だけが無機質に続いている。

「え、夢？　何これ？　どういうこと？」

何もない空間で、たがいの姿だけは変わらずに認識できる。夢ではない。さっきまでここにあったはずの森が消えて白い空間に入れ替わってしまったのだ。

「これはおそらくバグかと。データの破損だと思う。じきに復元するのでは」

「データの破損……」

「おそらく」

「……」

だが、しばらく待っても復元する気配がない。

「いったんここを出よう」とコウタが提案する。

ふたりは来た道を戻ることにした。だが道がなくなっているので、どう戻ればいいのかわからない。勘を頼りに歩くが、何の目印もない空間を歩くのは難しい。自分たちがまっすぐ歩いているのかどうかすらわからない。バランスが取れず、何もないのにつまずいてしまう。「大丈夫?」とコウタが声をかけ、モモは「大丈夫」と答えるが、次第に不安になってくる。「もう帰れないんじゃ……」と弱音を吐くと、「最悪ログアウトすればいいだけだから」と諭されて納得する。だが景色は変わらず、自分たちが進んでいるのかどうかもわからない。出口がどこにあるのかもわからない。

「ねえ、どれくらい歩いたかな？」

「五分だね」

「来る時、五分もかかった？」

「来る時は三分だった」

「やっぱり戻れないじゃん。ねえ、ログアウトしたってまたログインする時ここからだよ。どうすんのコウタくんー」

　とモモが諦めそうになった時、突然景色に色彩が戻る。ふたりはＳＤＧｓゾーンを歩いている。どうにか植林エリアを抜けたようだ。あたりに人が見当たらない。実験解放区を出ることにした。


　実験解放区の外に出ると、見たこともない景色が広がっていた。街が破壊されていたのだ。

　城下町商店街はひどい有様だった。建物の窓は破られ、ガラスの破片が道に飛び散り、壁に穴が開いている。人々は呆然と壊れゆく街を眺めている。

「何これ？　どういうこと？　地震？」とモモが声を震わせる。

「メタバースに地震が起きるはずがない」とコウタ。「誰かが我々にこの景色を見せたがっている」

破壊音がした。音のした方向を見ると、警備服を着た十数人の男たちが青白いレーザーを放つ銃で街を破壊している。彼らは全員同じ顔で、その顔には一様に笑みが浮かんでいた。

「あの人たちって、あの顔、ＤＩＤ登録所の？」

「ＤＩＤ登録所のＡＩと同じ顔だけど役割が違う。あれはデジタルパトラーだね」

「デジタルパトラー？」

「OASISの治安や秩序を維持し、有事の際にコミュニティを自衛する精鋭部隊だよ。昔、コミュニティ投票で作られたんだ。これまでずっと平和だったから出番がなかったけど、オリンピック選手レベルの身体能力とメンタルモデルを**ブレインテクノロジー**とＡＩを掛け合わせてインプットしてある。ただ、こんなふうに街を破壊するプログラムはされていないはず」

「じゃあどういうこと？　なにこれ？」

「誰かがハッキングしたのかもしれない。そもそも街が破壊されるということ自体が

ブレインテクノロジー
アメリカの調査会社のレポートによれば、世界のブレインテック市場は2025年に5・2億ドルに成長するという予測もある。特に医療関連領域が期待されており、脳波の計測や画像処理、アプリ関連でも加速していくと思われる。起業家のイーロン・マスクが率いる米新興のニューラリンク社は2022年に脳とコンピューターをつないで情報をやりとりする小型デバイスをヒトに移植する臨床試験を始める計画を発表。脳関連の後遺症で体が不自由になった患者が、装置を介してコミュニケーションすることなどを目指している。メタバース上のアバターに脳を移植する日が来るかもしれない。

あり得ないはず。なぜならOASISは、いくら立派な街に見えるとしても、結局はただのデータだから。この街を消したいと思えばデータを削除するだけでいい。それだけで何もなかったかのようにまっさらな状態になる。さっきの消えた植林エリアみたいにね」

「でも今壊されてるよ」

「おそらく誰かが何らかの目的で『破壊される街』のデータをわざわざ作成して、住民に見せているんだと思う」

「なんで！」

「わからない。だけど少なくとも、何らかの意図がなければこんな手の込んだことは起こり得ない」

「ひどい……」

「いったんログアウトしよう。今ここにいるのは危ない。あいつら人を攻撃するかも。見てあれ」

コウタが指差した先を見ると、デジタルパトラーが他のアバターに銃を向けているのが見える。アバターは何か怒鳴りながらデジタルパトラーに向かっていく。「行くな」

とコウタがつぶやいた。次の瞬間、銃からレーザーが放たれ、アバターの首が吹き飛んだ。アバターはよろよろと後退し、膝から崩れ落ちる。そしてその場で消えた。

「え？　えっ？」

「やっぱりそうだ。あいつらはアバターを攻撃するようにもプログラムされてる。今すぐログアウトして。いい？」

「え、でも……」

「いいからログアウトしろ！」

有無を言わせぬコウタの剣幕に押され、モモは反射的にログアウトした。

Chapter 10

51%アタック

51% Attack

目覚めると、モモはXRカフェのリクライニングチェアに座っていた。

長時間のログインのせいかコウタに抱かれたせいなのか、腰が少し痛かった。親指で腰をマッサージしながら立ち上がり、あくびを一つして身体を伸ばす。今起きたことを頭の中で反芻し、ハッとして個室を出ると、隣の個室は扉が空いていて誰もいない。ユウはログアウトしてすぐ帰ったのだろう。

モモはXRカフェを退出し、渋谷の街に出ると、XRコンタクトのバーチャルディスプレイを呼び出し、画面をタッチしてタクシーを呼んだ。数秒後にタクシーがモモの前に現れる。車に乗り込み、「五反田まで」と告げると、タクシーは自動運転を開始する。モモはバーチャルディスプレイにニュースフィードを呼び出す。目当ての記事はすぐに見つかった。

モニカ・ブランド社、OASIS TOKYOの土地、LANDを大量取得

TOKYO POST ONLINE

大手ブロックチェーンゲーム会社モニカ・ブランド(本社・香港)は、国内メタバース最大手の一つであるOASIS TOKYOの土地、LAND(NFT)の51%を取得した。ヤン・マルク・シュウ会長がモニカ社のメタバース「モニバース」内にて発表した。取得済みLANDは全データを書き換え、新たなシンボルとなる大規模施設「モニカ・ブランド・パーク」を建設する。すでにその中心となる大宮殿の建設に取り掛かっているという。今後はモニカ社によるLANDの保有率をさらに引き上げ、将来的に80%以上を保有したい考え。ヤン・マルク・シュウ会長は次のように述べた。

「アニメや漫画などのジャンルで世界的なコンテンツを送り出した日本には、まだ知

られていない才能がたくさん眠っています。OASIS TOKYOは、自分を解放する場として定評があり、数々の刺激的なプロジェクトを生み出していることで知られています。宝の山だと言えるでしょう。私たちは、才能あるみなさんのグローバル拡大を全力で支援することで、日本のさらなる文化発展に貢献します」

また、同社パートナーシップ担当ディレクターのセリーヌ・チョウ氏は、同社が日本のメタバースに注目する理由を次のように述べた。

「私たちはジャパンコンテンツのポテンシャルに大きな期待を寄せています。周知の通りNFTはデジタルコンテンツを保有できるツールです。**コンテンツ大国**の日本はNFTと相性が良く、日本にはすべての要素が揃っていると言えます。にもかかわらず、日本が世界に後れを取っているのは、不幸な円安と世界同時恐慌の影響であり、外資の力を必要としているのは多くの日本のみなさんが実感していることでしょう。私たちの使命は二つあります。一つは、チャンスを見極め、日本文化を輸出すること。もう一つは、私たちが日本で投資してきたすべての可能性を最大化すること。かつて

コンテンツ大国
NFTで日本に注目が集まる理由は漫画、アニメなど、世界的に知名度のあるIPコンテンツが多いことが挙げられる。

日本が世界第二位の経済大国になれたのは、すばらしい文化があったからです。今でも多くの人々が日本の伝統と文化に魅了されています。世界がブロックチェーンに移行する前から、私たちアジア人は、日本のＩＰとともに育ってきました。日本のＩＰが長い時間をかけて築き上げてきた価値は、現在のような経済状況にあっても、決して下がることがありません。私たちは、OASIS TOKYOのＬＡＮＤ取得を皮切りに、人々が自身の才能を活かしてより自由な生き方を実現するためのお手伝いをする予定です」

ニュースフィードを読み終えてウインドウを消すと、ユウから音声通話がかかってきた。

「やっとつながった」と興奮気味のユウ。「ニュース見た？」

「今見た！　あれってどういうこと？　買収？」

「OASISのDAOからは何も発表ないよね」

「でもＬＡＮＤの51％を取得したとか何とか書いてあったけど」

ＩＰ
Intellectual Property＝知的財産。個人や企業が有するオリジナルのコンテンツを指すことが多い。

「**LANDホルダー**全員に手あたり次第アプローチしてるのかな。モモちゃんのところにもこれからモニカの人から連絡があるかもよ。80％以上の保有を目指すらしいから」

「なんでそんなにたくさんＬＡＮＤが欲しいんだろう？　自分たちの会社にもメタバースがあるのに」

「さあ。大企業のやることだから何か利益があるんじゃない。でも私は反対だな。だって要するに、彼らのやりたいことって、OASISの独占でしょ？　独占して自分たちの傘下に置くってことでしょ？　それってそもそも、このコミュニティのコンセプトと真逆じゃない？　コミュニティメンバーひとりひとりが平等で、自分ができることを見返り関係なくやる『ＧＩＶＥ＆ＧＩＶＥ』の精神が中心的なコンセプトなのに、それを独占するって、全然わかってない。しかも宮殿だか何だかを勝手に建設するとか言ってるじゃん」

　タクシーが速度を落とし、停車した。窓の外を見ると五反田駅前だ。到着を告げる音が短く鳴り、ウォレットから運賃が引き落とされる。タクシーのドアが開き、モモはタクシーを降りて歩きながら電話を続ける。

LANDホルダー
メタバース上の土地というデジタルデータ（ＮＦＴ）のホルダーを指す。現実世界の土地ではないので、今後ＮＦＴやメタバース全体の枠組みでルール整備が進んでいくと思われる。ただし、ＮＦＴは金融商品ではないので土地や土地の上に建物を作って貸し出し、家賃収入を得るなどをすると金融商品の規制に抵触する可能性があるので詐欺罪などに注意。

「ニュースでは『モニカ・ブランド・パーク』って書いてあったね。社名が入ってる」

「ね！　OASISって、みんなで民主的につくってきたメタバースＤＡＯコミュニティだよ。ネット上のフォーマットで意見を集めて、ＤＡＯで議論して、最終的に投票で可決した施策だけが実行されてきた。お金のかかる建設には寄付金が使われるし、街の景観が変わる時は全員が意思決定に参加できるように事前告知するのがこれまでのやり方だったのに、いきなりある日突然、勝手にデータを削除して新しいものを作りますっていうのは、いくらなんでもマナー違反だと思わない？　だいたい、ＤＡＯと何のやりとりもせずに51％もＬＡＮＤを保有ってやり方も変だと思う。すごく暴力的というか」

「暴力的というか、暴力そのものだったよ」

　モモはOASIS TOKYOの街がデジタルパトラーによって破壊され、アバターが撃たれ、ＳＤＧｓゾーンの植林エリアが一瞬で白い空間に変わってしまったことを説明した。

「え？　大丈夫だったの？」

「いや、結構ヤバかった……ログアウトするのが少し遅れてたら危なかったかも。あっ、コウタくんは一緒にログアウトしたはずだから大丈夫だよ。でもコウタくんが言ってたけど、デジタルパトラーに破壊行為がプログラミングされてるのがおかしいし、現実みたいに街が破壊される過程が見えること自体がおかしいんだって」

「そうだよ、だってデータなんだもん」

「そう。だからこの景色は誰かが意図的に住民に見せてるんだって」

「そうだよ。わざわざ壊れていく街の様子を具体的に見せて、笑顔のデジタルパトラーに人を撃たせてるんだよ。みんなに強制的に戦場を体験させてるってことだよね。悪趣味！」

マンションに着いた。**網膜認証**してエントランスに入り、エレベーターに乗る。

「これからどうなっちゃうんだろう」

「私、結構本当に許せないから、反対運動したい」

「どうやって？」

「……デモとか？　署名集めたりとか？」

「そういうのって効果あるの？」

「どれだけ効果があるかはわからないけど、少なくとも、世論の注目を集めて議論を

網膜認証　目の網膜にある毛細血管を認証する判別システム。似たものに虹彩認証があり、こちらは黒目部分の模様を読み取る。

起こすことはできると思う。モモちゃんも一緒に考えない？」

「私は……OASISで何かできないかな」

「だって危険なんじゃないの？　ログインしないほうがいいよ。撃たれたらサラ先生のアバター使えなくなるし、脳に対する影響もあるかもしれないし」

「そうだよね……でも私……」

「なに？」

「……」

「どうしたの？　モモちゃん？」

モモは固まってしまった。なぜなら、エレベーターを降りると、部屋の前で見知らぬ女性が自分の帰りを待っていたからだ。足が細く背はスラッとして一六五センチくらい、小さい顔にベリーショートが似合うその女性は、黒革のライダースに濃いブルーのスキニージーンズを合わせ、ショートブーツを履いて右手には黒いクラッチバッグを持っている。

「ごめん、あとでかけ直す」

「え？　何を――」

ユウが話し終わる前に電話を切り、「どちらさま?」とモモはたずねた。

「はじめまして。私はセリーヌ・チョウと申します」

女が丁寧にお辞儀をして名刺を差し出した。名刺を見て、モモは自分がどんな状況に巻き込まれているのか理解した。

MONICA BRAND Inc.
Director of Partnership, Public Relations
Celine Chow

「田中スミス桃さんですね?」

「どうやってここに? 住人しか入れないはずですが」

「よろしければ、中でお話ししたいのですがいかがでしょう?」

「いやです」モモははっきりと言った。「知らない人を家に入れたくないので」

「そうですか。それは残念です」チョウは心から残念そうに肩を落とした。

「では手短にこちらでお話しします。あなたがお母様から譲り受けたOASIS TOKYO

内のLANDを弊社に譲っていただけませんでしょうか。お値段は相場価格の三倍以上、足りない場合はご希望される額に限りなく近い額をお支払いいたします。その際、ドルでもイーサリアムでもオアシスコインでも、あなたの望む形でお支払いすることを約束いたします。なお、アバターは今までと同じようにお使いいただけますので、引き続きお楽しみいただくことは可能です」

「いやです。LANDは売りません」

「そうでしょうか？　私はあなたがLANDを譲り渡すと知っています」

「は？」

「これを見てください」

モモのXRコンタクトのタブが赤く点滅し、チョウから**画面共有**のリクエストが届く。モモはタブをタッチしてリクエストを承認する。画面に見覚えのあるソファが映った。

「これは……」

「あなたのホームタウン、神戸の家のソファです。弊社の極小ミツバチ型**ドローン**がリアルタイムで録画しています。少し動かしてみましょう」

画面共有
2023年現在、Web会議ソフトで行われている画面共有機能が即座に可能になるという設定。

ドローン
2023年現在もドローンの小型化は進んでいるが、2035年時点ではさらに小型化・高機能化も進むと予想される。

画面が揺れてカメラがソファから離れると、その隣にあるローテーブルや奥にあるダイニングテーブルが見えてくる。リビングルーム全体が見えると、その端に、人の姿が映った。六〇歳前後の女性がヨガウェアを着て水を飲んでいる。

「おわかりでしょうか」

「ママ……」

「はい。文子さんです」

「どういうつもりなの？」

「文子さんは最近、ヨガを始めたようです。娘の仕事を理解したいのだそうです。ジャックさんは今でも道場で子どもたちに空手を教えていますが、最近は腎臓の調子があまり良くありません。先月の血液検査の結果は——」

「やめてよ！」

「では、やめましょう」

画面共有が解除されて画面が消えた。

「理解していただけたでしょうか？　私たちはあなたとあなたのご家族をよく知っています」

「なんなんですか、あなたたちは。こんなの犯罪ですよ！」

「今日はこれで失礼いたします。ぜひ前向きに検討してみてください。また伺います。では」

モモは怒りで呼吸が苦しかった。チョウがモモの脇を抜けてエレベーターに乗り込もうとする。この女を止めなければと思う。しかしモモは怒りを行動に移すことができない。チョウを乗せたエレベーターは音もなく下へ降りていく。モモはその場に立ち尽くす。

一分後、音声通話がかかってくる。相手はコウタだった。

「ユウに連絡先を聞いたよ」

「ねえ、どうしよう、私……」

「今どこにいる？　これから『Ｍ２Ｍ』に来られない？　OASISのメンバーが集まって、モニカ社のことについて情報交換してるよ。ユウももうすぐ着くって」

「すぐに行く」

モモはエレベーターに乗り込むと同時にタクシーを呼び出した。

大組織の歯車とＤＡＯの中心の間で

リクは急いで『Ｍ２Ｍ』に駆けつけた。何が起きているのかはわからないが、とにかくこういう時は情報共有だ。『Ｍ２Ｍ』に行けば何かわかるかもしれない、きっとコミュニティのみんなが集まっているから。

店に着くと、すでに外にあふれてしまうほどの人で混み合い、『Ｍ２Ｍ』は現実世界の緊急対策本部と化していた。中に入ると、オーナーのＢＢＢさんがいつもの和装で迎えてくれ、ビジネス・ゾーンのコラボレーション施設「ＳＢＹ（シブヤ）」に出入りしているメンバーで構成されたＮＦＴプロジェクトのメンバーもみんないる。

ＳＢＹは、大手企業・スタートアップ企業・クリエイターの三者がさまざまな形でのコラボレーションを検討するための場所だ。競合に当たる大手企業同士によるコラボなど、現実では制約があって実現が難しい取り組みが実験的に行われる。若手クリエイターがここでつながった大手企業やスタートアップ企業のバックアップを受けてメタバースクリエイターとして一気に飛躍するような事例も数多く生まれている。リクはここでとあるデジタルファッションプロジェクトの**コミュニティマネージャー**をしていた。

「どういう状況？」リクはみんなに聞いてみるが、報道されている以上のことは誰もわからない。

「私さっきＳＤＧｓゾーンにいたんですけど」とあるメンバーが言う。「デジタルパトラーが実験解放区の中まで侵入してきました。怖くてすぐログアウトしたから、その後どうなったかわからないんですけど……」

「いろいろ壊されてるかもしれないですね」と別のメンバーも言う。「ＳＢＹが壊されるのも時間の問題かも」

ＳＢＹが壊される？　リクはＳＢＹを守りたかった。リクにとって大事な場所だからだ。

「誰かがデジタルパトラーのプログラムを変更したらしい」とソファ席に座っていた

コミュニティマネージャー　メタバースクリエイター同様web3において需要が高まる職種の一つ。プロジェクトが独自の暗号資産やNFTを発行・販売し、購入したトークンホルダーを巻き込んでdiscordなどのSNSを活用しコミュニティを活性化させていく知見は確立されておらず、今後も伸びていく可能性が高い。

コウタが言った。「パトラーたちが暴力集団になってしまった」

コウタの隣に見たことのある女性がいた。あれはユウだ。会ったことはないがビデオ通話は何度かしたことがある。ユウもリクを認めたようで、おたがい「あ！」という顔で会釈し合った。

「どうしましょうね」リクはため息をつきながらコウタの向かいの席に座る。「実際、街が消え始めてるんでしょ？　そんなことが起きるなんて考えてなかった。でも事前告知なく街を変えるって違反ですよね。そもそも**web3＝コミュニティビジネス**みたいなところあるのに、コミュニティ完全無視って根本から間違ってません？　こういう時はどこに連絡したらいいんやろ」

「OASISのDAO緊急連絡窓口に連絡してるけど、つながらないんだよな」とコウタ。

「平野総理なんとかしてくれないんですかね」

「国のほうでも何らかの対応はしているだろうけど、彼らすぐに動けないからね」

「せっかく政府が時間かけていろいろ整備してきたのに、まだ抜け道みたいなのあるんすね。難しいわ、**DAOの法律**」

リクは大阪の有名私大を卒業後、大手総合商社に就職して海外の都市開発プロジェ

web3＝コミュニティビジネス
web1はウェブサイト等で一方向に情報を発信し、web2はSNSなどで双方向にコミュニケーションするのに対してweb3はウォレットを使って中央集権的な組織を介さず個人間で直接コミュニケーションを行う。また企業が単独で商品やサービスをつくるのではなく、トークンを発行・販売することでトークンホルダーを巻き込み、コミュニティと共創していくスタイルに変わっていくと予想される。商品やサービスが伸びればトークンの価格もあがりホルダーにも経済的なリターンが期待できる。

DAOの法律
現時点で「法律」というものはメタバース上に存在しないが、2023年時点ですでに日本国内でも研究・検討は進行中。米ワイオミ

クトを担当し、三一歳で大手ネット企業に転職した。今は新規事業開発を担当している。キャリアは安定していて順調だ。社風にも馴染み、年収も悪くない。**エリートビジネスパーソン**の道を歩んでいる自覚があり、他人に羨まれることも珍しくない。プライベートでは二〇代で結婚して子どももできた。そんな生活に大きな不満はなかった。

　しかし、本当に人生このままでいいのだろうかと、時折考える。大企業での仕事は組織や業務フローが確立されていることも多いので、部署にもよるが、役割分担で全体像が見えにくいこともある。もちろん有意義でやりがいも感じるし、誰にでも経験できることではないとわかっている。だが、目の前の自分の業務が具体的な形になるまで十年単位の時間がかかったり、業務が部分的だったりすることから実感を持った手応えとして感じられず、自分が会社や社会の歯車なのではないかと感じてしまうこともある。自分は本当に社会とつながっているのだろうか。すべてはとらえ方でしかないし、たしかにつながっているはずなのだが、その実感がどうも乏しい。

　はじめはそれでも良かった。大企業への所属は安心感をもたらし、生活を安定させる。安定しているからこそ、日々の業務以外のやりたいことにも打ち込める。リクは

ング州のＤＡＯは、ワイオミング州の有限責任会社（ＬＬＣ）として２０２１年７月から登記可能。ＤＡＯはトークンホルダーが投票を行い民主的に運営していく組織だが、筆者の意見としてはビジネスジャンルや形態によってＤＡＯ運営の相性に濃淡がある。投資ファンドなど比較的ＹＥＳかＮＯをわかりやすく判断したり、ブロックチェーンを使ってお金を集めたり分配したりすることには相性が良いと考えるが、サービス運営全てをいきなりトークンホルダーが集まるＤＡＯに委任すると、短期収益の打ち手になりがちで、そのプロジェクトやサービスの大事な理念、強みを失い競争力を失い立ち行かなくなる可能性がある。重要でルール整備が必要な部分は初期運営体がしっかりと整備して、徐々に分散化を図る進め方が現時点では良いだろう。

勉強熱心な仕事人間だったから、会社の外に出てさまざまな勉強会や副業に参加した。その一つとしてＮＦＴのコミュニティに出会った。ＮＦＴコミュニティには、リクが忘れかけていた熱があった。アーティストのファンコミュニティと同じで熱狂的なのだ。ただ一つ通常のファンコミュニティと違うのは、ＮＦＴはコミュニティが盛り上がることでその価値が上がるので、主体的に盛り上げようとするモチベーションが構造的に組み込まれていることだ。だから、純粋にそのＮＦＴを応援したい人やプロジェクトを通して新しい体験をしたい人、投資目的の人など、メンバーはさまざまな動機でコミュニティを盛り上げようとする。

リクはコミュニティに出入りして直接その熱を感じることで、自分をさらに一つ上のフェーズに持っていけると確信した。そうしてOASIS TOKYOのＮＦＴを手に入れた。

そこは、リクが見たＮＦＴコミュニティの中でもっとも熱気があった。メタバース黎明期に生まれ、幾度も話題になったコミュニティだからだろうか？　それもあるかもしれないが、ポイントはコンセプトなのではないかとリクは思う。リクは初めてＳＢＹのプロジェクトに参加した時、自分の意見や熱量がコミュニティに歓迎されてい

エリートビジネスパーソン
将来的には今まで以上に大手企業と個人事業主などに二極化が進んでいくことになり、個人事業主は複数のプロジェクトを掛け持ちしながら仕事をするスタイルが当たり前になるだろう。ここでいうエリートビジネスパーソンとは、前者の安定した大手企業で働く高収入のビジネスパーソンを指している。

ると肌で感じた。「いいね、やってみよう！」「おもしろそうだね、こうすればできるかな？」とみんなが言うのだ。

現実世界ではそうはいかなかった。「リスクは？」とまず聞かれ、アイデアのおもしろさ自体が議論されるのはその後だ。多くの場合、おもしろさが議論される前にそのアイデアは却下されてしまう。

しかしOASIS TOKYOは違う。失敗を許容し、リスクを過剰に避けるよりも挑戦することを良しとし、おたがいに与え合う文化がある。だからリクの意見も「おもしろいね！」と取り入れてもらえる。そんなふうに自分の意見が反映される経験を通して、自分の中で何かがブレイクスルーした気がした。

三〇代になり、人生の選択肢がいよいよ限定されてきたと感じていた中、すべてを捨ててスタートアップに転職するようなリスクを背負わないままでも、社会とつながっている実感を得て、いつもとは違う視点の新鮮で興味深い仕事ができる。このコミュニティでなら思い切った攻めの選択もできる。リクはOASIS TOKYOに出会ったことで、もっと人生がおもしろくなると感じていた。

「あ、モモ」

コウタが店の入口を見て呟いた。

「誰?」とリクがユウに聞くと「コウタさんの恋人です」と言う。

その顔にリクは既視感があった。あれは誰だっけ? ……そうだ、モモちゃんだ、商社時代に飲み会で知り合ったきれいな女の子だ。

モモはソファ席のコウタまで一直線にやって来た。

「コウタくん、ケガしてなくてよかった」

「そことそこ、恋人?」とリクは立ち上がる。「モモちゃん、俺俺、わかる?」

だが、モモは知らない人を見る目でリクを見ている。

「え、どこかで……?」

「えーっ、俺俺俺、リク。昔、飲み会でさ……」

「リク……え? リク君? 商社マンの?」

「おーっ、よかった覚えててくれて。もう商社からIT系のNに転職したんやけどね」

「わーっ、すごい、大手から大手に転職したんだね、さすがリク君。あの頃からエリートだったもんね。でもちょっと……雰囲気変わった?」

そう言われるとリクは悪い気がしない。「エリート」の部分ではない、「雰囲気変わった？」の部分だ。「なんだ、知り合いだったんですね」とユウが言う。

「のはずなんですけど、彼女、俺のことほとんど忘れてたみたいで」

「いや、リク君ってもっと、なんていうか……ほんと雰囲気変わった気がする。服装も前はもっとスーツでビシッって感じだったけどカジュアルになったし、なんか楽しそうな感じがする」

「さすがモモちゃん。そう、今楽しいんよ」

「ていうかOASISのユーザーだったんだ」

「そうそう。最近、お客さんのツテでアバターNFTを転売してもらって。それがきっかけでいろいろかかわることになってたら楽しくなってきてさ。ほんでいろいろ経験していくうちに気のせいか性格もちょっと変わってきたというか、会社の仕事のほうもなんか前より思い切ってできるようになったというか、いい感じになってきて。だから今楽しいねん」

「そうなんだねぇ。ユウちゃんとリク君はなにつながりなの？」

「サムは実験解放区でやっているデジタルファッションプロジェクトのコミュニティ

マネージャーだから」とコウタが説明する。

「サムってなに？」とモモ。

「リクのアバター名ね。リクのプロジェクトはビジネス・ゾーンで始まった複数のメタバースと現実世界を行き来できるマルチバースファッションの取り組みなんだけど、環境問題とも密接に関わっているからＳＤＧｓゾーンとも連携していて、今や注目のプロジェクトの一つなんだよ」

「今はアバターやファッションが多いけど、今後はもっといろんなものが**マルチバース**と現実を行き来できるようになるはず」とリクは付け加えた。

「で、去年のはじめだったかな？」とユウ。「私が社会問題に興味あるの知ってたから、コウタさんが私とサムさんをつないでくれて、それから何度か連絡取り合って。実際に会うのは今日が初めてなんだけどね」

「ま、とにかく」とコウタが話を戻す。「これからどうするか考えよう」

「あ。そう、その話をしにきたんだった」とモモ。

マルチバース
複数（マルチ）とメタバースを合成した造語。ＮＦＴや暗号資産などのブロックチェーン技術を使ったweb3メタバースが将来相互につながっていくと言われており、複数のメタバースが銀河系のようにつながっている状態をマルチバースと表現している。

マルチブレイン計画

Multibrain Planning

それからモモが語った話はみんなを驚かせた。モモが保有しているＬＡＮＤを手に入れるためにモニカ・ブランド社の役員が家の前まで来たこと、その口調は交渉というより脅迫に近かったこと、マンションの住人でなければ入れないはずのエントランスを突破していたこと、自分だけでなく両親の情報まで筒抜けで神戸の実家がリアルタイムで監視されていること。

「何それ？　昔の映画の香港マフィアみたいじゃん」ユウの顔が曇る。「そうやって脅迫してみんなのＮＦＴを奪い取ったってこと？」

「……え？　ＮＦＴを奪い取る？　ちょ待って、ってことは？」とリクは思いつく。「俺のとこにも来る可能性あるってこと？　ＬＡＮＤ持ってない奴もターゲット？」

「そうだと思う」とモモ。「ログアウトする直前、撃たれるアバターを見たし……」

「嘘でしょ？　無理無理無理、めっちゃ怖い」とリクは慌ててしまう。「ちょっと、なんとかしてくださいよコウタさん、モニカで働いてるんでしょ？」

その声で、店内にいたみんなの視線がコウタに集まった。「モニカの人間？」「どういうこと？」「なんでモニカの人がここに？」と多方面から同時に声が飛んでくる。

「いや、彼は正社員じゃなくて……」というモモを遮って、コウタが立ち上がる。

「この件はぼくにも知らされてなかったんです。先ほどから同僚にも確認しているんですが、ぼくのまわりに今回の話を知らされていた人はいません。幹部と香港本社だけで進めた社長肝入りの案件みたいです」

ふたたび声があがるが、その声には不満や怒りが含まれている。

「こんな話を聞いたことがあるんです」とコウタはその声を気にせずに淡々と続ける。

「モニカ・ブランド社には『マルチブレイン』という計画があるそうで……」

コウタによると、「マルチブレイン計画」とは、脳をスキャンしてデータ化し、メタバース上にアップロードした上で複数のメタバース間を移動させることで、肉体がなくとも半永久的にメタバース上で意識を持続させる計画なのだという。

「つまり……不老不死ってことですか？」とユウ。

「そうだね。正確に言うと死というものは存在せず、肉体はなくなっても意識は生き続け宇宙とつながるという量子化学の考えがベースになっている。その計画のもとになったのが、社長のヤン・マルク・シュウさんが昔インドに瞑想旅行をした時に出会ったある日本人との会話で、それ以来、シュウさんは『マルチブレイン計画』を極秘裏に進めているらしい。そんな話を、社歴の長いエンジニアに聞いたことがある。シュウさんと役員が話しているのを偶然聞いてしまったんだって。メタバースとブレインテックの融合は必然だし、それによって**サスティナブル**な社会を実現するのはモニカ・ブランドの理念でもあるからわかるんだけど、計画の名前やインドに行って云々の話が嘘臭くて、今まではただの噂に過ぎないと思ってた。でも、彼が最初の起業の前から日本に興味を持っていたことや世界最先端のさまざまなテクノロジーをかなり細かくチェックしていることも事実だから、もしかすると、OASIS TOKYOに『マルチブレイン計画』実現に向けての可能性を見出したのかも。誰か、今の話につながりそうな情報を持っている人はいますか？」

コウタが周囲にそう問いかけるが、みな首を傾げるだけで何も言わない。

サスティナブル
Sustainable＝持続可能。たとえば体が不自由な人や障がいがある人やマイノリティの人がメタバースを活用することで働きがいを感じる仕事に就くことや、メタバース上を移動することによって利用エネルギーを削減できること、遠隔で教育が受けられるなど、さまざまな可能性が考えられる。

「まあ……そうだよね、社内の噂話に過ぎないもんね、うん」とユウは自分に言い聞かせるように言う。

「少なくとも！」と、カウンターの近くでひとりの女性が立ち上がった。「モニカのシュウ社長が何かを企んでいることはたしかなわけですよね？　その噂の信憑性はいったん横に置くとして」

「あっ」とモモは小さく叫んだ。女の顔に見覚えがあったからだ。

「あっ」とリクも気付き、「ＳＡＫＩＫＯ？　モデルの」と小声で言う。「ほんとだ」

「ＳＡＫＩＫＯちゃんかわいい」と周囲のみんなも気付く。

ＳＡＫＩＫＯは若い世代を代表する人気モデルで、**メタバースアカウント**のフォロワーは一一〇〇万人もいる。おしゃれでかわいいだけでなく、社会問題や寄付活動に積極的に取り組む著名人として知られていた。

「私はモニカのやり方に反対です。このまま放っておくことはできないと思います」とＳＡＫＩＫＯが続ける。「OASISは、特定の企業の利益のために存在するメタバースではなく、人々がより心地良く、より自分らしく生きられるための、自律的分散型コミュニティのはずです。その前提には、利他主義や多様な価値観の肯定、愛や調和、

メタバースアカウント
自分の好きなメタバースのアカウントをフォローや申請して、最新情報を受け取れるという仕組み。現在のＳＮＳのような感覚

住民みんなでつくる共創的な社会といった理念があったはずでした。今回のモニカのやり方は、こうした理念をすべて無視していて、OASIS TOKYOのコンセプトに明確に反していると思います。しかも80%以上のLAND取得を目指すなんて、これほど時代遅れで**中央集権的**なやり方がありますか?」

「そうだそうだ!」とSAKIKOの隣にいた男が反応する。

「モニカがやろうとしているのは独占であり、侵略です! 私たちは、団結してモニカにノーを突きつけるべきではないでしょうか。みなさん一緒に、モニカに抗議しませんか? 私と一緒に、モニカに抗議をしに行ってくれませんか?」

「そうだ!」「行こう!」と、数人の男たちの勇ましい声が湧き起こる。彼らの声にSAKIKOは笑顔になり「今から行ける人で行きましょう! モニカの日本法人は渋谷にあります! 行ける人は?」と人々を誘おうとする。

「あの、ちょっと待ってください!」と割って入ったのはユウだ。ユウが声をあげたことにリクは驚いた。まだ出会って間もないが、彼女はいつもマイペースで、こうして何かを主張しようとするタイプではないと思っていたからだ。

「あの……それって、危なくないんでしょうか? だって、たとえばこの子は……」

中央集権的
特定の企業や政府が一元的に管理すること。2023年現在のSNSなどは運営がすべての力をもっているので、中央集権的ともいえる。

と言葉を絞り出しながらモモを指差す。「モニカの社員に脅迫されたんですよ？　網膜認証が必要な家の敷地に侵入されて、家族への危害まで仄めかされて。ドローンを使って実家の監視までされてるんです。メタバース内では銃で撃たれそうにもなりました。そんな人たちを相手に何の計画もなく向かって行くのは、ちょっと危険なんじゃないでしょうか？」

「じゃあ、あなたはこのまま何もしないんですか？」

「いや、そういうわけでは……」

「ただこの事態を見ているだけでいいんですか？」

「……」

ユウは悔しそうに目を伏せると、そのまま黙ってしまった。

「みんなで正面から立ち向かえば乱暴なことはできないんじゃないですか。日本は法治国家のはずです。むしろ団体で行動するほうが安全じゃないでしょうか。あなた、あなたはどう思いますか？　そこの、モニカで働いている男性は」

ＳＡＫＩＫＯに指差され、全員の視線が再びコウタに集まる。

「あ、ぼくですか？　そうですねー、あなたの意見に賛成ですねー」

「え?」という表情のモモ。ユウは俯いたままだ。

「じゃ、決まりですね」とSAKIKO。「もちろん強制はしません。でも私は行きます。私についてきてくれる人は、これから一緒に行きましょう」

SAKIKOの呼びかけに何人かの男たちが同調し、「俺も」「私も」とその仲間が増え、SAKIKOを中心に団結の輪が広がっていく。

「コウタさん賛成? なんでですか?」とリクがコウタに聞いてみると、コウタは「あの人たちがモニカに突撃してくれたら、それだけで時間が稼げるから」と平然と言う。

「その間にぼくは社内の内部資料を探す。何かしら計画の内容を記した資料があるはず。彼らが騒ぎを起こしてくれるなら、モニカのリソースが分散されて都合がいい」

「なるほど、さすがコウタさん」

「私たちは?」とモモ。

「動かないほうがいいのでは? 彼らはOASIS TOKYOのNFTホルダー全員を探しているかもしれない。ユウの家に空いているスペースはある?」

「あるけど、どうしてですか?」ユウがようやく顔を上げた。言いたいことがあるような、何か割り切れないような顔をしている。

「モモは居場所が知られているから、できればモモをユウの家に避難させてほしい」

「あ、そっか。それはもちろん大丈夫です」とユウ。

「じゃあモモちゃんはとりあえず避難か。俺はどうしましょ」とリクが聞くと、コウタは表情を変えずに「君は好きにしてください」と言った。

「え！　俺にだけ急に冷たい……。まあ自分で考えるからいいですけど」

「モモ、君は」とコウタはリクを無視して、「ぼくが社内で何かを見つけるまで、ユウと一緒に静かに過ごしていてほしい。念のためこれを送っておく」と、モモのウォレットに**NFTアイテム**を送る。「ぼくが開発した、現実世界とOASISの両方で使えるおまもり。もしも身の危険が迫るようなことがあれば使って。でも念のためしばらくはログインしないで。何があるかわからないから」

「わかった、ありがとう」とモモ。「でも、大丈夫？　オフィスに行くの？」

「まさか。そんな必要ないよ」

「この人、元ハッカーだよ」というユウの言葉に、珍しくコウタの顔に笑みが浮かぶ。

「正直、久々にハッキングすると思うとちょっとワクワクするんだよね」

「なんかコウタさん、ちょっと怖いですね」とリクは引き気味に笑った。

NFTアイテム
web3メタバース内ではNFT化されたアイテムを保有することができ、そのアイテムの受け渡しも可能。アイテムは自由につくることもできるが、NFTに期待される利用用途はさまざまで2023年現在はルールが整備されている途中の段階。既存の法律に抵触していないかは要注意。

Chapter 13

設計書ＮＦＴのプライバシー

Blueprint NFT Privacy

四人が『Ｍ２Ｍ』を出る頃、店内にはオーナーのＢＢＢを残して、ほとんど誰も残っていなかった。半分がＳＡＫＩＫＯと一緒にモニカ社に抗議に行き、もう半分はそれぞれ慌てて避難したようだ。モニカ社がOASIS TOKYOのＮＦＴホルダーを探している以上、現実のコミュニティである『Ｍ２Ｍ』に集まるのは危険だと全員が理解したのだった。

「リク君はどうするつもりなの」とモモが聞いた。

「とりあえず家かな。妻が心配するし。いったん安心させてから、自分に何ができるか考えようかなと」

「やっぱりリク君、なんか謙虚になったね。昔は必ず自慢を挟む人だったのに」

「そういうとこは覚えてるもんなんやね。お恥ずかしい」

「ねえ、それより私たちって、もしかしてメタバース上で会ったことある？　サムって人にこないだ会った気がするんだけど」

「いやそれ俺も思った。コウタさんのこと探してたよね？」

「やっぱり。あれがリク君だったとはね……」

「世間狭すぎ」

「あの時ちょっと冷たくなかった？　謎にめっちゃ標準語だったし」

「あっち用の人格やからね。『分人』って言葉知ってる？　対人関係ごとにさまざまな自分がいる、みたいな意味なんやけど、やっぱかかわる人とかコミュニティが変われば自分の人格もそれによって変動するでしょ。モモちゃんもなんか自信なさそうやったし、あれがモモちゃんとは気付かんよ」

「……たしかにね。気をつけてね」

「モモちゃんもね。ユウさんとコウタさんも気をつけてくださいね、特にコウタさん、あんま無茶しないでくださいね」

リクはタクシーに乗って帰っていった。

分人
作家の平野啓一郎氏が提唱している分人主義という考え方。人はコミュニティごとにさまざまな自分の顔を持ち、それを使い分けて生きている、そしてそれは他者との相互作用の中にしか存在しないという考え方。

「ふたりとも気をつけて。ユウはモモをよろしくね」

コウタも渋谷のタワーマンションに徒歩で帰っていく。

残されたユウとモモにもすぐに迎えのタクシーがやって来る。ユウがタクシーに乗り込むと、モモは「ね、私ちょっと用事を思い出した。あとで行くから、住所送っといて」と、タクシーのドアを閉める。

「え？　え？」と困惑するユウを乗せてタクシーは自動運転を始める。

数秒後、モモが頼んだタクシーがやって来る。モモはタクシーに乗り込んで「西麻布」と告げる。

「さて、と。気が重いけど、しょうがないか」

モモはバーチャルディスプレイをタッチして連絡先から「ケン」を呼び出した。ケンはすぐに出た。

「モモ？　珍しいね。久しぶりじゃん、元気？」

「今ちょっと時間いい？」

「うん大丈夫だけど、どうした？」

「あんまり時間ないから単刀直入に聞くけど、モニカ・ブランドの社長、知り合い？」

「ヤン？　昔からの知り合いだけど？」

「ふーん。今から事務所行くね。いるよね？」

「なになに、すごい急じゃん。もう夜だよ？　まぁでも俺そういうの嫌いじゃないな。思い立ったら即行動が大事」

「渋谷からタクシーで向かってるからすぐ着くよ」

「オーケー、着いたら八階な。ちょっと待たせるかもしれないけど」

「じゃあまたあとで」

⊗

西麻布にある『ハーモニアス・カコフォニー株式会社』は、国内外の大規模なイベントを数多くプロデュースしている制作会社だ。社名の通り「調和の取れた不協和音」をモットーにしている。「見方を変えれば、すでに素敵な世界はここにある」というコーポレートミッションは人気があり、世界的な大不況下にあっても各地からオファーが絶えない。この『ハーモニアス・カコフォニー株式会社』で代表を務めているのがケンだった。

　モモは二〇階建てオフィスの一階で自動受付を済ませ、エレベーターに乗る。エレベーターは勝手にモモを八階まで運んでいく。扉が開くと、カーキのセットアップに白いスニーカー姿のケンがモモを出迎えた。

「モモ、久しぶりだね」と手を広げてハグをする。

「待たせるとか言っておきながら出迎えてくれるの？」とモモもケンを軽くハグする。

だが、本当はハグなどしたくなかった。あっさりと自分を捨てたケンのことをモモはまだ許していない。彼に会いに来るのは不本意だった。

「数年ぶりに昔の恋人から連絡があって、しかも今から来るなんて言われたら、何を置いてもそっちを優先するのが紳士ってものでしょ」

「いきなりごめんね」

「モモ、謝罪から入るのは日本人の悪い癖だよ」

「そうだった。ごめん」

「ほら、また謝ってる」

「あはは。変わってないね」

「おかげさまでね。モモは、大人になったね。すごくきれいになった」

「また。うまいこと言って」

「俺は本当のことしか言わないよ」

「もうその手には乗らないんだからね。そういう意味では大人になったかも」

「いい返しだね。なにか飲む？」

　モモはケンのエスコートでオフィスへと続く廊下を歩いていく。八階のフロアには四つのオフィスが入っているようだ。四つともハーモニアス・カコフォニーの関連会社らしい。

　ガラス張りのオフィスに入ると、一〇〇平米ほどのスペースにデスクやソファが置かれ、数人の社員らしき人たちが話し合ったり、バーチャルディスプレイ上で作業をしたりしていた。バーカウンターも併設されている。

「おいしい。ホッとするな」

「今度、あの世界的に有名なロックミュージシャンＭＩＮＡＭＩとコラボするんだけど、もしよかったら**チケットＮＦＴ**送るよ。好きだったよね？」

「好きもなにも、昔一緒に**ファンクラブの会員権ＮＦＴ**買ったじゃん。**ユーティリテ**

チケットＮＦＴ
イベントチケットの役割をするＮＦＴのこと。ＮＦＴを使えば追跡可能なので転売防止につながる可能性があり、転売ごとの収益を運営会社に還元することが理論上可能。

ファンクラブの会員権ＮＦＴ
ＮＦＴをファンクラブなどの会員権とする動きは２０２３年以降加速すると思われる。既存の定額課金のファンクラブサービスとの共生、段階的な移行の設計がポイント。

ユーティリティ
保有していると受けられる特典・機能・権利のこと。ｗｅｂ３、ＮＦＴ業界用語として多用される。ここで言うユーティリティとはアーティストのリアルイベントに行けること。

イでオフラインイベント行ったの覚えてない？」

「あ、そうだっけか」

「あの頃のケン、『NFTがアーティストを救う』って口癖みたいに言ってたよね。チケット転売しても運営元に手数料入るとかさ。私は結局、別れたあとNFTマーケットプレイスで会員権売っちゃったけど、ケンは1DAYのNFTチケット優先購入したり限定イベント参加したり、ユーティリティ活用しまくってたよね。今は一緒に仕事してるんだ。よかったじゃん、好きなアーティストと仕事できて」

「よく覚えてるね。まさにそうなんだよ。初期に手に入れたファンは今頃経済的リターンも相当だと思う。とりあえず座る？」

ふたりはソファに腰を下ろす。

「積もる話もあるし、本当はいろいろと雑談したいところだけど時間がないんだっけ？　こんな久しぶりに俺に連絡してくるなんてよっぽどのことだと思うけど、どうした？　ヤンが何だって？」

「ケンはOASISに今でもかかわってるの？」

「もちろん。実験解放区の最初期から見てるからね。モモはヨガドームで働いてるんでしょ？　嬉しいよ、楽しんでくれてることも、ヨガを続けてることも」

「なんでも知ってるじゃん。だったらモニカの社長がOASISを乗っ取ろうとしてることも知ってるんでしょ」

「乗っ取りねえ……」ケンが笑う。「そういうとらえ方もあるかもね。まぁ今回の彼のやり方はちょっと強引だからね。あの人らしくないよね」

「マルチブレイン計画ってなに？」

ケンの顔から笑みが消えた。

「それ誰から聞いたの？」

「マルチブレイン計画のためにOASISを乗っ取ろうとしてるんでしょ？」

「マルチブレイン計画ねえ……」

ケンは遠い目で何かを思い出しているようだ。

「脳のデータをメタバースにアップロードして不老不死を実現させるとか、どこまで本気なの？」

「いや。すごいね、良く知ってる」とケンは笑う。

「全部ほんとなの？」

「つまりこういうことだろ？　今も現実世界とメタバース上を跨ぐ形でキャラの使い分けはあれど、根っこは一人の人間の脳がコントロールしている。さらに近年発展してきたブレインテクノロジーによって、人間の脳に埋め込まれている情報を抽出し、クローン化させることができるようになった。それを現実世界やメタバースのアバターにセットするんだ。だから極端な話、現実世界の生身の人間が死んだとしてもメタバース上で生き続けることができたり、現実世界のクローン技術が進化すれば、またその脳データを生身の人間にインストールして不老不死が実現する。もはや今の現実世界はリアルでメタバースはバーチャルという分け方ではなく、すべてが現実世界、リアルワールドになるってことなんだ」

「本気なの？」

「さあ。それは知らない。俺は構想を話しただけだからね」

「え？　ケンが考えたの？」

「知ってたからここに来たんじゃないの？」

「私は、モニカの社長がインドで出会った日本人との会話にインスピレーションを得て計画を練ったって噂を聞いて、もしかしたら何か知ってるかなと思ってケンに電話したの。私と出会う前のケンがインドで生活してたのを知ってたから」

「へえ。そのふたつの情報を結びつけて俺にたどり着いたんだ。モモは勘が良いね」

「じゃあこれはケンの計画でもあるわけ？」

「いや、だから俺は構想を話しただけ。どこまで詳しく話したのか、あの頃どれだけ明確に俺自身がその構想を描けていたのか、もうはっきり覚えてないんだけど、まあ、ヤンとはいろんなことを語り合ったからね。一緒に一〇日間の瞑想体験もしたしさ。あれは強烈な体験だったな。あの経験がなければ、自分が過去と未来にばかり囚われて生きていたんだと気付けなかった。モモもいつかやったらいいよ。一〇日間、日が昇ってる時間は瞑想だけをするんだ。最初は腹が減ったり眠かったり、足腰が痛くなったりするんだけど――」

「瞑想の話はいいから」

「瞑想の話、聞かない？　ヨガにも通ずる本質的な話だけど」

「いいから。で？　なんでOASISなの」

「そりゃ中で研究してるからでしょ。……なに、そっちは知らなかったの？　じゃあなんでマルチブレインのことを知ってるんだ？　まあいいや。つまり、そういうことだよ。今一気に動くってことは、ある程度その研究に目処が立ったってことでしょ。脳スキャンと**意識アップロード**の方法、それをメタバースで実現する方法がまとまって、まあ、その設計書を手に入れたいってことだろうな」

「その設計書はどこにあるの」

「それ俺に聞く？　別に俺はそのプロジェクトに関わってるわけじゃないんだけど。まあ、OASIS TOKYOのどこかにあるんでしょ、NFT化されて」

ブロックチェーンの**非改ざん性**を活かして、NFTは設計書などの知的財産管理にも活用されている。二〇二〇年代後半からブロックチェーン上のプライバシー保護技術が普及したことで、公開する情報と公開しない情報を分けることが可能になった。設計書の場合、概要や知的財産の権利者のみ公開され、詳細は非公開にすることが多い。

「じゃあ知らないの？」

「お役に立てず残念です」

「やめさせてよ」

「何を？　研究？」

意識アップロード
人間の意識をデジタル空間にアップするという技術。SF映画の設定でよく見られる設定が、2035年には実現したことをイメージ。

非改ざん性
ブロックチェーンの特徴の一つ。ブロックチェーンの台帳は常にユーザー同士に見張られているため、取引が正規のものかを相互にチェックし、正規と認められたものだけが台帳に書き込まれる。さらに、ネットワーク内で発生した取引履歴はブロックに格納されるが、それぞれのブロックには一つ前のブロックの内容を示す「ハッシュ値」と呼ばれる情報も含まれている。そのため過去に生成したブロック内の情報を改ざんしようとしても、後続するすべてのブロックのハッシュ値との整合性がなくなるため改ざんしたことがわかって

「じゃなくて、モニカの社長に乗っ取りをやめさせてよ」

「俺が？　なぜ？」

「だって友達なんでしょ？　なんとかしてよ」

「ちょっと待て、なんで俺が？　俺はモモの敵じゃないけど、ヤンの敵でもない。中立だよ。俺にはヤンを止める理由がない」

「理由あるでしょ。OASISが一つの企業に侵略されそうになってるんだから」

「侵略とか乗っ取りとかいう言葉が本当にふさわしいのか？」

「だってそもそものコンセプトと真逆じゃん。みんなで創っていくコミュニティなんでしょ」

「その通り。だったら今回の件もみんなで話し合うべきなんじゃないのか？　もし俺が無理やりヤンを説得してこの動きが止まるとしても、そんなのはある種のトップダウンみたいなもので、コミュニティのコンセプトに反するんじゃないのか？　これまでに誰かモニカの人間と話し合った人間はいるの？　コミュニティメンバーによる議論や投票はどうなってる？　もしかしたら、ヤンがやろうとしているのは、OASIS TOKYOがより良いコミュニティになるために必要なことなのかもしれない。モニカ

しまう。つまり、ブロックチェーンはユーザー全員で使えて、全員で監視し、管理しているため改ざんが困難。

の技術を提供することでマルチブレイン計画が安価に実現できるようになるとかさ、彼なりのＧＩＶＥの精神の表れなのかもしれない。ヤンは悪い人間じゃないからね、むしろものすごく義理堅くて人とのつながりを大事にする人間だよ。そういう可能性を頭から排除して敵だ味方だと区別するような二元論は、そもそもあのメタバースのコンセプトと相性が悪い考え方なんじゃないのか？」

「もう、屁理屈はいいからなんとかしてよ！」

とモモは怒鳴ってしまった。

ハッとしてまわりを見ると、数人いたハーモニアス・カコフォニーの社員たちが怪訝な顔でモモを見ている。

「ワーオ」とケンは動じない。付き合っていた頃にモモのこんな姿を何度も見ているからだ。

「モモ。もう少しヨガの助けが必要だな」

「ふん、余計なお世話」

「それに大事なところで人任せにするの、モモの悪いところだよ。四年経っても変わってない」

「もうええわ！」

気付くとモモは早歩きでエレベーターに向かっていた。ケンの声が背中に聞こえた気がしたが、言葉はもう頭に入らなかった。モモは一度も振り返ることなくエレベーターに乗り、オフィスを出てタクシーに乗り込んだ。

「教えてくれないなら自分で見つけてやるわ、どうせ実験解放区のどこかにあるんでしょ！」

ユウの家に着いたモモは、その様子を心配するユウを無視してリビングのソファに座り込み、「絶対起こさないで！」と言いつけてメタバースにログインした。

Chapter 14

闘争か逃走か

Fight or Flight

モモの目の前に現れたのは破壊された城下町商店街だ。周囲を見回すが誰もいない。音も聞こえない。デジタルパトラーはもういないのだろうか？

城下町商店街を歩く。前回ログアウトした時の景色とほとんど変わっていない。街は中途半端に破壊されたままだ。モモは前回ログイン時から街に変化がないことを確認すると、実験解放区へと急いだ。

だがその足は実験解放区の前で止まった。実験解放区を囲んでいる壁の奥から何かが動く音が聞こえてきたからだ。

耳を澄ませた。足音だった。ひとりではない。大勢の人間が歩き回っている音が聞こえてくる。

モモは壁に隠れつつ、壊れた壁と壁の隙間から中を見た。

デジタルパトラーだ。何十人というデジタルパトラーたちが笑顔で歩き回り、何かを探している。設計書を探してるんだ、とモモは確信した。

だが、どうする？　どこを見てもデジタルパトラーだらけの実験解放区の中、どうやって気付かれずに設計書を探せばいい？　正面突破しても無駄死にするだけだ。どこか、彼らの探索が手薄な場所を見つけないと——。

その時、背後に何かの気配があった。振り返ると、デジタルパトラーが立っていた。

「何かお困りでしょうか？」

その顔には笑みが浮かんでいる。モモも反射的に笑顔をつくった。

「い、いえ、大丈夫で——」

言い終わる前に、相手がモモに向けてライフルを構えた。

その動きを見てモモは咄嗟に左足を蹴り上げた。レーザーを放つような電子的な音が一瞬したが、相手の構えた手にライフルはない。一秒後、弧を描いたライフルが相手の背後に落ちた。デジタルパトラーは何が起きたか理解していない。モモはキョロキョロとあたりを見回す相手の顎を素早く右の正拳で撃ち抜いた。拳頭に手応えがあり、相手が意識を失って膝から崩れ落ちた。

足元に転がるデジタルパトラーとライフルを交互に見ながら、モモは自分が何をしたのか理解していなかった。「なぜこの男の人はここで寝ているんだろう？」という言葉が頭に浮かび、二秒ほど停止した。次の一秒で物音に気付き、壁と壁の隙間から実験解放区を覗き見ると、五、六人ほどのデジタルパトラーたちがこっちに向かって歩いてくる。

ヤバい。後頭部がヒヤリとして、モモは自分が恐怖を感じているのだと自覚した。

怖い。逃げなきゃ。

モモは壁に沿って走る。走りながら、たった今起きたことを頭の中で反芻した。デジタルパトラーが自分に向けてライフルを構えた。あいつらは私を殺すつもりだったのだ。とっさに本能が危険を察知して、言語化するよりも先に身体を動かした。左足が前蹴りを出し、中足がライフルの中央部分と相手の左手をとらえた瞬間に、レーザーが放たれた。だが蹴りのほうがコンマ数秒速かったため銃口は自分からずれ、ライフルは高らかに宙を舞った。そうして相手が混乱して横を向いた隙に、一気に間合いを詰めて正拳で正確に顎を突いた。すると相手は落ちた。

　モモは恐怖で胸がいっぱいになりながら、「はははは」と笑い出した。銃口はモモの目のあたりを向いていた。脳を撃ち抜くつもりだったのだ。いくらメタバース上だとはいえ、元々の脳は一つ。脳に強い衝撃を受ければ、現実世界の肉体への影響は避けられない。痛みを与えるだけではなく正確に殺すために脳を狙ったわけだ。自分は殺される寸前だったのだ。しかし脳を狙うために銃口が高かったせいで前蹴りが有効打になり、そのおかげで、頭を撃ち抜かれることなくなんとかあの場から逃げることができた。

「はは、あははは」とモモはまた笑う。前蹴りって。空手って。こんなギリギリの時にとっさに出るのが空手だなんて。あんなに嫌いだった空手にまさか命を守られるなんてね。

「……待てよ？」

　モモは立ち止まった。何かが引っかかった。今起きたことには違和感がある。よく考えろ。デジタルパトラーが自分を殺そうとしたこと？　違う。破壊活動が彼らにプログラミングされたことはもう理解している。銃を失って混乱したこと？　それもそうだ。ＡＩが人間のように取り乱すことはありえない。あのＡＩの混乱ぶりはまるで人間だった。何より、顎を殴られて落ちたのだ。

落ちた？　仮想現実上のＡＩが落ちるなんて、そんなことありえる？

モモは一つの仮説に辿り着く。あのデジタルパトラーは、もしかして、人間だったのでは？　デジタルパトラーのアバターを着た人間だったのでは？

そうとしか思えない。でなければ気絶などするはずがない。人間と同じ急所をプログラミングするメリットなんて一つもない。なのになぜ急所がある？　考えられる理由は一つ。デジタルではなくリアルの人間だからだ。

「何かお困りでしょうか？」

その声を聞いてモモは我に返る。三メートルほど先にデジタルパトラーが立っていた。破壊された壁と壁の間に人間がひとり通れるほどの隙間があり、そこから出てきたようだ。

相手は微笑んでいる。距離が遠かった。あと一メートル近付かないと蹴りが届かない。撃たれる？　しかし相手は銃を持っていなかった。銃を持っている奴と持っていない奴がいるのか。

「何かお困りでしょうか？」とデジタルパトラーが言った時、壁と壁の間からもうひ

とりのデジタルパトラーが出てきた。さらにもうひとり出てくる。みんな同じ顔、同じ笑顔で、

「何かお困りでしょうか？」

「何かお困りでしょうか？」

「何かお困りでしょうか？」

と言いながら三人同時にモモに向かって足を踏み出す。

たまらずモモは実験解放区に背を向けて逃げ出した。

怖い。やっぱり怖い。怖いし気持ち悪い。

全速力で走り続け、城下町商店街まで戻る。振り返ると、三人とも走ってモモを追いかけていた。その後ろにも数人のデジタルパトラーたちが続いている。

「めっちゃ来てるやん……！」

モモは走りながら周囲を見回した。どこでもいい、どこか隠れられる場所を——。

飲食店はだめだ。破壊されて外から丸見えだし囲まれたら終わりだ。スタジアムや美術館のような広い場所もだめだ。部屋数の多い複雑な造りの建物はないの……？　そうだ、城は？　あそこなら隠れる場所がたくさんあるはず。

モモは力を振り絞って走るペースを上げる。もうすぐ商店街の終わりだ。あそこを左に折れてまっすぐ行けば、すぐ城に辿り着く。あと数メートル、あともう少し、あそこを左に曲がれば……。

その時、世界が一回転する。

「!?」

モモは何が起きたか一瞬わからない。しかしすぐに理解する。足払いをかけられたのだと。

「何か……お困りでしょうか?」

商店街右側のサイバー寿司屋の前でデジタルパトラーが仁王立ちしていた。

左に左に、という意識が強すぎたせいで、モモは右側を意識していなかった。

足払いを食らった人間の反応は二種類に分かれる。戦意喪失するタイプか、好戦的なスイッチが入るタイプか。モモは後者だった。

子どもの頃、父によくかけられた技の一つが足払いだった。父は足払いをするとムキになるモモの性格をわかっていて何度も組手で足払いをした、それが嫌だった。絶対にかけられないように何度も練習して、道場では誰にも足払いをかけられない技術を身につけた。だからやられるのは数十年ぶりだった。それほど昔の出来事なのにまるで昨日のことのように一瞬で思い出してしまう。

モモは立ち上がりながらアイテムボックスを確認し、空手道着を選ぶ。上下セットではなく上半身だけのもので、柔らかいテクスチャーで作られた白いガウンのような上着だ。本当は空手道着ではなく空手道着風のＮＦＴアパレルで、OASIS TOKYOで買ったものだ。それを羽織って、黒帯に見える黒いベルトを腰に巻き、闘う格好にアバターを着せ替える。そして髪を結んでポニーテールをつくる。次に、口から息を吐き、鼻から大きく吸い、腹をへこませ、なおも腹をへこませたまま一気に息を吐き出し、さらにもう一度強く息を吐き切る。息吹で内臓に気合を入れるのだ。

「何かお困り……」とデジタルパトラーが足を一歩前に踏み出す。その瞬間、モモは右足を振り抜いて相手の両足を刈った。相手は背中から地面に倒れた。

モモは商店街の先にあるステージに向かって走り出した。その先にあるのはランウェイだ。トモコ・イズミやアンリアルタイムが何度もファッションショーをやり、その度に話題になったランウェイの真ん中でモモは止まり、振り返った。一〇人近くの中年の男たちが迫ってきている。

彼らはひとりずつランウェイに上がってくる。多くてもふたりだ。それが狙いだった。現実世界における筋肉量や体格差がほぼ無効化されるメタバース内では、いかにうまく身体を扱えるかが強さに直結する。身体操作でモモの右に出る一般人はめったにいない。闘うことは嫌いでも、幼少期から空手を習い、型の大会では優勝した経験もあり、大人になってからヨガを始めてさらに身体操作のレベルが上がったモモの前では、銃を持っていないただの人間など相手ではない。

突進してくる相手を左の前蹴りで止めて右下段蹴り。崩れたところ下突きを鼻に打ち込んで気絶させる。倒れたデジタルパトラーを飛び越えてやってくる次の相手にカウンターのストレート一発。その後ろから来る奴には右上段回し蹴り。一歩下がって息を整えながら、距離を詰めてくる相手にワンツーボディ、右膝蹴りからの左上段膝蹴り、失神した相手を両手で突き飛ばしてランウェウイの下に落とす。

「ハア。結構、身体が覚えてるもんだわ……」

モモは相手を次々と倒していく。一度吹っ切れてしまえば、あとは遊びみたいなものだった。素人が相手になるはずがない。

あっという間に一〇人のデジタルパトラーを倒し、一息ついた時、しかし、モモは自分の目を疑った。目の前にいたのはデジタルパトラーではなく、突然変異で顔が変形した巨大な猿だったからだ。

メタバース戦争

Metaverse War

セリーヌ・チョウは渋谷にあるモニカ・ブランド社のオフィスの一画で数人のスタッフと作業を続けている。複数の共有用デジタルディスプレイが立ち上がり、画面はそれぞれOASIS TOKYOの様子を映し出している。モニカ・ブランドは取得したLANDに**カメラ機能**を追加し、その世界の様子を現実世界からでも監視できるようにしていた。

セリーヌにとって、今日はいつにも増して忙しい日だった。リリースを発表し、現実世界ではメディア報道をチェックしながら政財界の有力者たちの反応を確認。OASIS TOKYOで取得したLANDの一部データを初期化し、若手社員にデジタルパトラーとして街の一部を破壊させ、ユーザーをログアウトさせてから、実験解放区

カメラ機能
監視カメラ機能自体をつけることは簡単だが、プライバシー、自治の観点からこの時代ではあまりつけなくなるという設定。

を中心に設計書データをブロックチェーンにひもづけた設計書NFTを捜索させている。田中スミス桃への一度目の交渉も行った。

会社の試みは今のところかなりの反響だ。政財界の有力者たちの反応は賛否両論あるが、概ね様子見といったところで極端に批判的な意見は出ていない。取材依頼が次々と舞い込み、大手メディア「TOKYO POST ONLINE」からは追加取材依頼のメッセージもあった。世論の反響を受けて大々的な特集を組みたいという。ボスが信頼しているメディアだから協力したほうがいいだろう、セリーヌはそう考えていた。せっかくだから今後のマルチバース展開を少しだけ話したほうがいいかもしれない。

「セリーヌ、ちょっとこれを見て」

そう促されてセリーヌは作業の手を止めた。同僚が指し示すバーチャルディスプレイを見る。ディスプレイは実験解放区の外壁をとらえている。小さな異変が映っていた。誰もいないはずのメタバース空間を、ひとりの女性アバターが歩き回っているのだ。

「何？　この子は」

「今急に街のほうから現れた。何か探してるみたい」

「あれだけの破壊を見せられてなおログインするなんて、頭が悪いのかしら？」

「そうかもね。念のため、彼らには侵入者ありと伝えておいたよ」

「オーケー、ありがとう」

ディスプレイの中で、デジタルパトラーに扮した社員が女のアバターに近付く。次の瞬間、セリーヌは自分の目を疑った。信じ難いことに、この華奢な女のアバターが、小銃を構えたデジタルパトラーを殴り飛ばしたのだ。

「は⁉　何？　何が起きたの？」

ディスプレイをタッチして録画を呼び出し、今起きたことを巻き戻してスローで再生する。デジタルパトラーが小銃を構えている。女の足が伸び、その足先が銃を蹴飛ばし、銃がデジタルパトラーの手から回転しながら離れていく。銃がデジタルパトラーの背後に落ちると、女がデジタルパトラーを殴り飛ばす。

セリーヌは嫌な予感がした。映像を停止させて画面をズームし、女の顔を見る。

やっぱりそうだ。あの女だ。これは田中スミス桃が使用しているアバターだ。しかし、調査によれば、彼女は精神的な理由で闘えないはずだったが……。

だが、とセリーヌは考え直す。きっかけさえあれば人は一瞬で変わりうる、早めに対処したほうがいいかもしれない。

セリーヌは同僚に「すぐに他のデジタルパトラーをこのアバターのもとに向かわせて。ひとりじゃだめ。五人以上で。ただし急所への攻撃は不可」と伝える。「オーケー」同僚が若手社員たちに指示を出す。

指示を受け、近くにいたデジタルパトラーたちがモモに近付く。彼女は動かない。あと一歩でとらえられそうな距離に入った瞬間、間一髪逃げ出した。

「逃げた」

「追いかけさせて！」

「オーケー！」

同僚が指示を出し、指示を受けた若手社員たちが追いかける。彼女は実験解放区の壁に沿って逃げている。

「全デジタルパトラーに田中スミス桃のアバター『サラ』の情報を共有。近くにいる者は目標を田中スミス桃／サラに変更して」

「オーケー。でも、なんなの、この子は？」

「この子は……」

セリーヌはうまく答えられない。なぜなら同僚の疑問は、セリーヌ自身も抱き続けている疑問だからだ。

「彼女はS級、つまり最重要人物です」とシュウは言った。「最優先で調査し、すべてを調べあげ、最初にコンタクトしてください。そして必ず彼女のLANDを確保してください。その際、絶対に危害を加えてはいけません。あくまでも彼女に納得していただいた上でLANDを譲っていただくのです。モニカに引き入れることができれば最高ですが、そこまでは望みませんので、できる限り丁重なご対応をお願いします。繰り返しますが、彼女は最重要人物です。絶対に傷付けないでください」

何がどう重要なのかセリーヌにはわからなかったし、シュウがこれほど曖昧な指示を出すのは珍しかった。その曖昧さがセリーヌを苛立たせた。

「捕まえた」

同僚の声でバーチャルディスプレイに目を戻すと、ひとりのデジタルパトラーがモモと対峙していた。さらに二人目、三人目のデジタルパトラーが後ろに控え、その後ろにも続々とデジタルパトラーが集まってきている。

「捕まえて！」

しかし彼女はまた逃げ出した。今度は実験解放区に背を向けて街のほうへと走って行く。

「全デジタルパトラーの目標を田中スミス桃／サラに変更。最優先は田中スミス桃／サラ」

「オーケー」

設計書NFTを探していた全社員が動きを止め、それぞれ彼女に向かって歩き出す。女は走り続け、城下町商店街に入って行く。商店街はほぼ探索済みだったため、モニカ・ブランドの社員はほとんどいない。女は商店街を全速力で駆け抜ける。この女、どこへ向かっている？　なぜログアウトしない？

その時、寿司屋に残っていた社員のひとりが商店街に飛び出し、角を曲がろうとするモモの足を蹴り飛ばした。モモが尻もちをつく。

「よし！」と同僚が手を叩く。「格闘技できる奴がいてよかった！」

だがセリーヌはまたも嫌な予感がした。

その予感は的中した。

モモは立ち上がると、アバターを白いガウンに着替えて身体から不気味で不可解な音を出した。そして今自分がやられたのと同じように相手の足を蹴り飛ばした。

「マジかよ」と同僚が頭を抱える。「この子は相手の技をコピーするアイテムを持っているのか？」

そんなものはない。彼女が自分の意志でアバターを動かし、自分の技で相手を倒したのだ。

モモはそのままランウェイを駆け上がる。若手社員たちが後を追いかける。

「バカ……」と、セリーヌはつい汚い言葉を漏らしてしまうが、そのことを後悔している暇はなさそうだ。

「な。ランウェイに逃げ込むなんてだいぶ混乱してるな」と同僚たちが笑う。

「違う」とセリーヌ。「バカなのはあいつらよ。今すぐ上位アバターを用意させて」

「は？　なぜ？」と不思議そうな顔をする同僚は何もわかっていない。

「いいから今すぐに！」

セリーヌの気迫に押されて同僚たちは各所に指示を送る。

「今すぐ行けるのは？」

「エムロが行ける。前回ログイン地点もランウェイに近い」

「ひとりだけ？　他にはいないの？」

「オズとフライも準備中」

「急がせて」

「オーケー」

「念のためにモグとヨッシーの準備も」

「モグとヨッシー？」と同僚が驚く。「セリーヌ、本当にそんな必要があるのかい？」

「見て」

バーチャルディスプレイでは、白いガウンの女が舞うような動きで次から次へと相手を倒していく。その様子を見て同僚たちは言葉を失う。

「一対一で素人が勝てる相手じゃないのよ」

「……モグ！　ヨッシー！　今すぐ用意しろ！　戦闘だ！」と同僚が叫ぶ。

オフィス内が慌ただしくなり、他の社員たちも作業を中断して緊急事態に臨む。

しかしセリーヌの嫌な予感はまだ続いている。

モモはひとりで十人のデジタルパトラーを倒してしまった。ようやくゴリラ型アバターのエムロがランウェイに現れる。エムロはパワー型のアバターで人間の二倍のサイズがあり、三倍以上のパワーを発揮する。

エムロは両手を振り落としながら女に襲い掛かる。モモはその大きな動きを後ろに下がることで避けている。

「できるだけ時間を稼いで」とセリーヌは命令する。その命令がエムロに届く前に、女がエムロの手の攻撃を捌いて顔面を蹴り飛ばす。気を失ったエムロは壊れた人形のように倒れ、そのままランウェイの外に転落する。

「……」

同僚たちが固唾を飲んで事態を見守る中、オズとフライが左右から現れて女を囲む。

もしこの二人がやられたら、とセリーヌは考える。もしそうなったらどうなる？　最上級アバターを使わないと彼女をとらえることは難しい。だが最上級アバターを使ってしまえば命の保証はできなくなる。

「絶対に傷付けないように」というシュウの指示が頭の中をこだましている。どうする？　今から対話を試みようか？　いや、対話に応じるような女ではない。五反田に彼女のマンションを訪ねた時、彼女の目の奥に簡単には意志を曲げない強さが見えた。両親を盾に脅しても揺れることのない頑固な心が、今この状況で対話に応じるわけがない。

現実世界のどこからログインしているか場所を突き止めるか？　そんな時間の余裕はない。突き止める前に彼女はアバターを倒してしまうだろう。そして彼女は……彼女はどうするつもり？　アバターを倒して何をしようとしているの？　彼女の目的は？

まさか、とセリーヌはその可能性に思い至る。

あの計画を知っているの？　我々より先に設計書ＮＦＴを見つけようと？

「彼女は最重要人物です」というシュウの言葉がまた思い出される。

……もしかして、彼女がその場所を知っているから？

だとしたら、なんとしてもすぐに捕らえなければならない。

セリーヌは久しぶりに「焦り」を覚える。彼女はその人生において片手で数えられるくらいしか焦ったことがないのに。

「エアレイを呼ぶわ」

「え？」同僚が怪訝な顔になる。「でもそれは……」

「あの子はたぶん、設計書ＮＦＴのありかを知ってる」

セリーヌの言葉に、オフィスに緊張が走る。

「先に見つけられたら終わりよ。その前に、空を飛べるエアレイに空中から探させて捕まえさせる」

⊛

巨大な猿は案外弱かったが、連続で敵と闘い続けたモモは疲弊していた。五分でいいからどこかで身体を休めたかった。

しかし次から次へと新たな相手が現れる。今度は力士だ。プロパティで名前を確認したら、メタマッチョサトウというらしい。モモは呼吸を整えて間合いを測る。

力士が突進してきた。モモは左足の前蹴りを出そうとして、つま先が地面から離れた瞬間に考えを変えた、もしこのアバターを動かしているのが本当に力士なら、この蹴りを捕まえさせたら終わりだ。モモは身体を半身に切って両手で相手を受け流しつつ、横にステップして力士と身体を入れ替えた。力士が何か叫ぶ。日本語ではなかった。

力士の後ろに回り込んだモモは相手の首に右腕を回す。左手で相手の後頭部を押しながら腕を思い切り締め上げた。手応えがあった。細い腕は男の首をよく絞める。力士のうめき声が腕に伝わる。モモは全体重を腕にかけて相手の身体に自分の足を巻きつけそのまま絞め続けた。あと数秒で落ちるはずだった、だが次の瞬間、力士が消えた。消えた？　逆にモモは後ろから右腕を極められている。ヤバい抜けられた、こいつ柔術家か。モモは慌てて後ろ蹴りで股間を蹴り上げる、極められていた腕が抜けると同時に力士が悶絶する、振り向くと力士のものすごい形相が目の前にある、頭突きだ、とっさにモモは左腕でガードする、力士の頭突きがモモの腕に刺さる、骨がきしむような音がして左半身に激痛が走る、強い、殺されるかもしれない。殺される？　死の恐怖が頭の中を侵し始めると恐ろしくなり、モモは自分でもわけがわからない言葉で叫んだ。

視界がブラックアウトする。意味不明に絶叫しながら、それでも暗闇の中に一対の目と赤い隈取りが見えた。モモは指を力士の瞼にめり込ませて絶叫しながら引き抜く、ぬるっとした熱い感覚のあと力士の絶叫がモモの叫びを打ち消した。

ふと後方に別の気配を感じて恐ろしくなり、回転しながら思い切り右足を振り抜いた。後ろ回し蹴りが決まり踵が何かの骨をとらえる感覚があった、頭がクラクラして倒れそうになりなんとか足に力を入れてこらえる、前屈みの状態で乱れた自分の呼吸の音を聞きながら、モモはもう一度絶叫した。

息を吐き切ると、次第に視界が戻ってきて、目の前をチカチカと白い光が明滅している。

「……」

気付くとふたりの力士が地面に横たわっていた。片方の顔面は潰れ、もう片方は黒い眼窩から血を流している。

モモはその場に座り込んだ。呼吸が元に戻らない。左腕が痛み体力が尽きたと感じる。動けない。

「まだ変なのが出てくるんだったら、もう……」

変なのはすぐそこにいた。金属の装甲で覆われた赤いロボットと黒いロボットがモモを観察している。

ログアウトしないと殺される。

しかし、モモはもう指一本も動かすことができず、混乱し、どうやってログアウトするのかも思い出せない。

こんなとこで死ぬの？　そう思って人生を振り返ってみるが、走馬灯のように思い出せることは一つもない。疲弊しすぎると思い出すこともできないのか。

二体のロボットが歩き出し、モモに近付いてくる。もう目を開けているのもめんどうだ。モモは目を閉じた。

足音が近付いてくる。音が目の前で止まった。

モモは死を覚悟した。

脳裏に浮かんだのはこれまでの人生の走馬灯ではなく、ラブ・ゾーンで会ったコンシェルジュだ。

「何かしてもらうのを待つんじゃなくて、あなたに何がしてあげられるか考えなきゃ」

私にできること。これが私のＧＩＶＥだと思ったんだけど、違ったのかな。

ああ。コウタくん。ログインするなって言われてたのに勝手にしちゃってごめんね。

もっと一緒にいたかった。

最後に頭に浮かんだのはコウタの顔だった。

轟音と爆風を感じて、死ぬってこんな感じなのか、想像してたのと違うな、とモモは思った。

「なんか寝てるわ」

リクの声だった。

なんで死んだあと最初に聞くのがリクの声なんだ……。

「おーい。死んでませんよー。まだ生きてますよー。モモちゃーん。いや、サラちゃん」

目を開くと、剣道着姿のサムがいた。

「……いやなんでサム」

「なんか寝ぼけてる？　まあいいや。ハラペー、ダイダイマル、ブロ、この人を安全なところに移動させておいて。他のみんなは行けるよね？」

人々の歓声があがる。ブロは人間だがハラペーは豚、ダイダイマルはたぬきをモチーフにしたアバターなので運ぶのに苦戦している。

声のしたほうを見ると、何十人ものアバターが立っていた。アバターはみな鎧を身に纏（まと）ったり、ロボットや怪獣のような見た目をしていたりしていて、剣や棒、ライフルやマシンガンやロケットのような武器を装備している。どれもモモがOASIS TOKYOで一度も見たことのないアバターばかりだ。

「どっちやりますか?」

リクが誰かと話している。見ると、リクの隣に人間のアバターが立っていた。グレーとネオンブルーのサイバースーツを着ていて、右手には青く光るライトセーバーのような剣を持っている。よく見ると、リクも同じような黄色く光る剣を持っていた。

「うん、どっちでもいいよ。久しぶりだなあ、試合をするのは」

「オオタさん、これ試合じゃないっすよ」

「まあそうなんだけどさ、どうせやるならやっぱり楽しみたいじゃん。試合だと思うとワクワクするよ」

「すごいリラックスしてる。やっぱメダリストは違うなあ」

「硬くなったら絶対だめだよ。身体動かなくなるもん。大事な時ほどリラックス」

「了解です。じゃあ俺あっちのキモい奴にとどめ刺します」

「オッケー、じゃあぼくは赤いほう」

リクが商店街のほうに走っていく。その先に黒いロボットが立っている。ロボットはリクを認めてリクのほうに歩いていく。両者が間合いに入る直前、黒いロボットがその手足を伸ばしてリクの黄色い剣を捕まえようとした。リクは両手で持った黄色い剣を振りかぶって相手の腕を弾く。黒いロボットは体勢を崩し、その隙にリクが相手の胸に黄色い剣を突き刺す。黒いロボットの動きが止まると、ロボットは獣のように咆哮し、やがて消えた。

「すごいなぁ」と言いながらオオタと呼ばれた男はフラフラと歩き出す。その先には赤いロボットがいる。赤いロボットがマシンガンを構えると、オオタも身体を半身にして足を開き、腰を落として右手に持った青く光る剣を構えた。フェンシングの選手のようだとモモは思った。赤いロボットが派手な音を立ててマシンガンを撃つ。オオタの周囲で火花が散ると同時に金属音がして、数メートル先の地面に穴があく。何が起きたのかモモにはわからなかった。

「あ、これよくないな。これじゃ街が壊れちゃうか」オオタは気の抜けたような声で言うと、もう一度最初の構えに戻り、両足で軽くステップを踏みながら「先手で行くか。Prêts……Allez!!」と何かモモにはわからない言葉をつぶやいた。次の瞬間、赤いロボットが地面に膝をつき、顔から地面に倒れ込んだ。その傍らにはオオタがいる。

瞬間移動でもしたのか？

「さすがです！」とリクがはしゃぎ、後ろにいる数十人のアバターが盛り上がる。赤いロボットは消えた。

モモには彼の動きがまったく見えなかった。状況が飲み込めない。だが二体のロボットは死んだらしい。

再び轟音がして空を見ると、遠くに巨大な黒い物体が浮かんでいた。爆撃機だ。

「モモちゃん！」モモの元にリクが駆け寄ってくる。「起きた？　もう動ける？　こっからは戦争やで」

モモは立ち上がった。左腕がまだ痛んだが、しばらく休んでいたせいで体力はいくらか回復している。

「なんでリク君がいるの？　あの人たちは？」

「ひとりで闘わせてごめん。あれは自主的にここで闘うことを選んだ人たち。『M２M』に集まってた人もいる。みんなモモちゃんがひとりで闘ってんの知ってログインしたんだよ。モモちゃんってめっちゃ強いんやね」

「昔、空手やってたから。リク君は剣道？」

「そう。まあ、俺というより、この剣がめっちゃ強いんやけどね」リクは黄色く光る剣を振りかざす。

「そういうアイテムがあるの知らなかった」

「モモちゃん全然ＮＦＴのユーティリティ使ってないんだね。こういうのはOASISのＮＦＴを持ってるとアローリストに入れてもらえて優先購入できたりもらえたりするんだよ。あのおまもりも似たようなものじゃないの？　なんでコウタさんにもらったおまもり使わないの？」

「おまもり？　……あ！」

モモは『Ｍ２Ｍ』でコウタが「おまもりＮＦＴ」を送ってくれたことをようやく思い出した。

「完全に忘れてた。なにあれ、今役立つやつ？」

「使ってみたら？」

モモはアイテムボックスから「おまもり」を取り出した。

次の瞬間、目のくらむような閃光が走り、モモのアバターが、紫と緑の装甲で覆われた人型ロボットに変身した。

「え、なにこれ、すご！」

「めっちゃかっこいいやん」

装甲はかなり丈夫らしく、多少の攻撃ならびくともしなそうだ。モモは腕や脚を動かしてみる。その重そうな見た目とは反対に、重力がなくなったのかと思うほど身体が軽くて四肢が速く動く。ジャンプしてみると、三メートル近くも飛んだ。

「つよ！　さっき使いたかったわ！」

「今から必要やから大丈夫」

リクが空を指している。見上げると、近付いてきた爆撃機の中から、次々と敵のアバターが降ってきていた。

「あれぜんぶ倒すの？」モモはリクに聞く。

「あれぜんぶ倒すで」とリク。

「あれぜんぶ倒します」いつの間にかオオタが隣にいた。「これ以上、私たちのメタバースを好きにさせません」

シードフレーズを求めて

In Search of Seed Phrases

「へえー。こんなこともやってたんだー」

コウタは自宅のタワーマンションにいる。ソファに座ってバーチャルディスプレイを操作しながら、モニカ・ブランドの経営層だけが入れるネットワークに侵入している。

ハッキングはコウタが想定していたより簡単だった。TOKYO POST ONLINEを装ってセリーヌ・チョウに追加取材依頼のメッセージを送ったのだ。そのメッセージに**バックドア**を仕掛けたところ、セリーヌはいとも簡単に引っかかった。

あまりにも簡単で、コウタは少しだけ落胆した。もっと張り合いがあると思ったのに。リリースを発表したばかりで対応に追われて確認が甘くなっただけかもしれない

バックドア
悪意ある第三者がシステム内部に侵入成功した後、いつでも侵入できるように、情報システム内部から攻撃者の用意したサーバーに対して外部通信をするために設置したプログラム。内部から外部へ通信するためバックドア（裏口）と呼ばれ、このバックドアを設置することで悪意ある第三者は脆弱性をつく。手口はメールで添付ファイルを開かせるなどさまざま。

が。

コウタが見ているのは、OASIS TOKYOのＮＦＴを保有しているホルダーの名簿ファイルだ。名前、生年月日、血液型、住所、職業、現在の住所、顔写真、経歴、家族構成、持病の有無など現実世界での情報からアバター写真、アバター名、保有暗号資産やＮＦＴ、参加コミュニティ、その他のメタバースでの活動歴など、人によって文字数にはバラつきがあるが、数万文字以上もの分量で詳細に書かれている。

「徹底してるなー」

コウタは次々と社内の極秘情報を見つけていく。だが、乗っ取りにつながる情報は見つからない。

ネットワークに侵入してから一〇分経っていた。一〇分？　時間がかかりすぎている、とコウタは思った。過去、欲しい情報に辿り着くまでに一〇分もかかったことはない。何か見落としているのかもしれない。あるいは……。

別の可能性を考えてみる。本当に重要な情報は会社にはないのかもしれない。会社にないのだとしたら？　シュウ本人のウォレットに保管している可能性がある。

考えてみれば、その可能性のほうがはるかに高そうだ。このｗｅｂ３の時代に、ハッキングされるかもしれない会社のネットワーク上にすべての情報を保管する奴がどこにいる？　そもそもシュウは二〇一〇年代、まだモニカ・ブランドがゲーム会社だった頃、ある日突然**プラットフォーム**からモニカ・ブランドの全タイトルを削除されるという恐ろしい事態を経験している。そんな人が、こうやって誰かにハッキングされたり内部告発されたりする危険のある社内ネットワークに、本当に重要な情報を残すだろうか？　リスクを分散させないことの危険性を誰よりも骨身に染みて理解しているあの人が？　自分だったらどうする？　当然、自分だけが管理できるウォレットに保管するだろう。なぜそんな簡単なことに気付かなかったのか。

コウタはハッキング対象をモニカ・ブランド社からシュウ個人へと変更する。個人への攻撃は会社への攻撃よりも気付かれやすい。しかも相手はあのシュウだ。簡単ではない。ヨーロッパ育ちのエリート香港人でｗｅｂ３の最重要人物、モニカ・ブランドを香港発の世界的コングロマリットに成長させ、世界中のビジネスパーソンから尊敬されている、現代を代表する起業家、ヤン・マルク・シュウなのだ。相手としてこれ以上手強い者はいない。だが、やるしかないだろう。コウタは胸がときめいた。解きがいのある謎は知的好奇心をそそる。久しぶりに簡単には解けない面白い謎解きを

プラットフォーム
ここでいうプラットフォームは、スマートフォン上でアプリのダウンロードを行うプラットフォームを指す。

楽しんでいるのだ。

コウタにとって、これほど時間のかかる難しい遊びはプログラミングを学び始めた小学生の頃以来だった。中学以降はすべてがイージーだった。中一の頃から飛び級で参加した**ハッカソン**ではすべて優勝し、大学には数学のみのＡＯ入試で入学。学生時代にアプリ制作会社でアルバイトを始めると、自分のアイデアで開発したアプリがほとんどすべてバズってしまい、会社の人たちには感謝され持ち上げられるも次第につまらなくなってやめてしまった。大学の授業もそれほど興味をそそられるものはなく、何もやることがなくなって、自分でブロックチェーンゲームの会社を立ち上げたのだった。起業にあたっての情熱はない。ゲームをプレイするのと同じだ。暇つぶしだったと言ってもいい。

それらに比べて、今取り組んでいる案件ははるかにおもしろかった。ヤン・マルク・シュウを相手に、自分たちのメタバースの未来をかけて戦う。見つかったらモニカ・ブランドはクビだろうが、そんなのはどうでもいいことだ。だいたい自分から望んでモニカ・ブランドに入ったわけではない。破格の待遇で自由にさせてもらえるから暇つぶしで所属してもよいと返事をしただけなのだ。

ハッカソン
hack（ハック）とmarathon（マラソン）を組み合わせた造語。特にプログラミングを中心とし、集中的に作業をするソフトウェアプロジェクトのイベントを指す。

それに……、コウタはモモのことを考えた。この案件は彼女を守るためでもある。なぜモモに惹かれているのか、コウタは自分でも理解できていなかった。たしかにモモはきれいだ。しかしきれいな女の人は他にもたくさんいる。それなのに、モモのことが頭から離れない。突然怒り出し、関西弁で悪態をつき、都合の悪いことは相手のせいにする欠点の多い人なのに、なぜか惹かれている自分がいる。

もしかすると、この気持ちは知的好奇心に近いのかもしれないとコウタは考えてみる。モモの反応は予測不可能だ。プログラミングと違って明確でシンプルな答えが出ない。だからこそ解明したいと思うのかもしれない。

しかし、もしこれが知的好奇心であるのなら、なぜぼくはハッキング中に彼女のことを考えているんだろう？　今集中すべきは彼女について思い巡らすのではなく、すみやかにハッキングすることなのに。

彼女について考えるのはよそう。コウタは気持ちを入れ直す。シュウのウォレットにアクセスしてハッキングを試みると、一二個の英単語からなる**シードフレーズ**の入力を求められた。

シードフレーズ
暗号資産のウォレットが生成する12〜24個の単語から なるひとつづきの文字。秘密鍵は暗号資産の所有者証明、管理するための鍵で、ブロックチェーンにより異なる。

Recovery phrase
Please enter all 12 words

「これなんだよなー、問題は。さて、どうするかねー」

「どうもしねえよ」

振り返ろうとしたが遅かった。鈍い音とともにコウタは侵入者の顔を見る前に気を失った。

⊛

目覚めると、頭が割れそうなほど痛い。頭を触ろうとして、手足を縛られていることに気付いた。椅子に縄で縛り付けられている。

白い光がまぶたを刺す。視野がチカチカして霞んでしか見えないが、どこにいるのかはわかった。社長室だ。

「なんですかー、もうー」

しゃべることはできた。声を出してみると口の中が渇いていて舌が喉の奥に張り付きそうだ。身体を揺らそうとする。椅子の脚がぐらぐら揺れる。もっと強く揺らして移動しようと思うが、頭が痛くて動かせない。頭を殴られたのだと思い出した。

「ほんとうは、君を味方にしておきたかったんです」

前のほうで声がした。ぼやけた視界の奥に人影がある。その男に焦点を合わせるとようやく視界が開けてきた。

その男、ヤン・マルク・シュウは、いつものように穏やかな笑みを浮かべ、自分のデスクの肘掛け椅子に座っていた。センター分けのブラックヘアーとハーフリムの眼鏡。もちろんXRコンタクト接着時にレーシック済みなので度は入っていない。若い頃からの習慣で眼鏡があると落ち着くのだという。変わった人だなとコウタは思っていた。この人は自分が気に入ったものに固執しすぎるのではないか。眼鏡なんて不要になったものをおしゃれ以外の用途で使っているのはこの人くらいだ。服装だってそうだ。一〇年前から着ているという薄手のパーカーを今でも色違いで何枚も揃えている。しかもカラーはブラック、グレー、ネイビーとほとんど同系色で、それに合わせるパンツもシューズもだいたい同系色。社長の若い頃の映像を見たことがあるが、今とほとんど変わらなかった。

「味方にしておきたかったんですが、それは難しいかもしれません」とシュウが続ける。

「あの、水、あります？」

「水？　常温のものならここに。冷えているものは冷蔵庫に」シュウは笑顔で答える。

「冷たいのがいいですねー」

「では、冷蔵庫に」

「……」

「……」

「あの。動けないんですけど」

「おっと、そうだった」

シュウは立ち上がり、冷蔵庫を開けて水のボトルを取り出した。キャップを開け、コウタの口に近付ける。コウタは生き返る心地がした。

「いい人ですね、社長」

「私は人情派です。信頼関係が何よりも大事」

「ついでにこれ、ほどいてもらえます？」コウタは自分の手足を縛る縄を目と顎の動きで示す。

「それは君の答え次第ですね」

「じゃあ無理か」

「君を見つけたのは何年前だったかな」シュウはゆっくりと自分のデスクに戻る。「あれはたしか……二〇二三年？」

「二〇二四年ですよ」

「二四年か。君はまだ大学生で、アプリ制作会社でパートタイムの仕事をしていましたね。君を知った時は驚きました。素晴らしい才能だったので」

「あ、どうもー」

「君が最初につくったあのゲーム……『Fantom Guerrilla Force』を初めてプレイした時の感動は今でも覚えています。あれは傑作でしたね。日本史から応用したストーリーと過去のヨーロッパの戦争から適用した戦術や戦略をベースに、古典ＳＦを引用したシチュエーションの数々、科学や芸術などの知識がなければ進めない展開。あれほどスケールの大きいゲームは誰にでも作れるものではありません」

「よく覚えてますねー。勢いですけどね、あんなのは」

「ただ、ラストがイマイチだった。知識と知恵が求められるはずの物語なのに、最終的にはありがちな銃撃戦で終わってしまうのだから」

「めんどくさくなったんでしょうねー」

「あれからずっと君をチェックしていました。我々の提案にイエスと言ってくれた時は嬉しかったものですが……こんなことになってしまいましたね」

「なってしまいましたねー」

「正直に言うと、君がこんなに非論理的な行動に出るのは想定外でした。何か私が把握していないことが他にあるのでしょうか？　君の動機は何ですか？」

「動機？　動機か……何だと思います？」

「わかりません。率直に言って、君らしくない気がしています」

「ですねー。わりと同意かもです」

自分らしい自分とはどんな自分だろうかとコウタは考える。論理的で効率的な人間であること？　ある意味ではそうかもしれないが、それは他人からの見え方の話に過ぎない。他人からの見え方に興味はなかった。

「だったらなぜ？　もし言いたくなければ、無理にとは言わないが」

「愛ですね」とコウタは答えた。ふざけたつもりはなかったが、あまりに自分らしくない答えに思わず笑ってしまう。笑うと頭が痛んだ。

「愛、か……」と、シュウはコウタの言葉をまじめに受け取る。シュウは相手が誰であれ人の発言をバカにしないし、どんなバカげた発言であってもリスペクトする人間だ。「君は、難しい道を選んだんですね」と同情するように言う。「それなら私にも覚えがあります。だからといって、君を特別扱いすることはできないのだけれど」

「シュウさんOASISで何をしたいんですか？」

「君は、インドに行ったことがありますか」

「無視された」

「私がインドに行ったのは今の君より少し上の年齢の頃でした。当時は私にとって非常に厳しい時代でね……」

香港人の指揮者と台湾人のチェロ奏者を両親に持つヤン・マルク・シュウは、一九八五年にオーストリアのウィーンで生まれた。周囲の子どもたちの中で自分だけがアジア人の外見をしていたことから、ヤン少年は疎外感を抱くようになり、次第にコンピューターとインターネットに居場所を求めるようになる。独学でプログラミングを学び始め、中学生の頃にはオリジナルゲームを開発。アメリカ・ボストンのマサチューセッツ工科大学（ＭＩＴ）に留学し、大学在籍中にモニカ・ブランド社を創業した。自社開発した複数のゲームをヒットさせて会社を順調に成長させるが、二〇一〇年代に入ると、週に一回というあまりにも早いペースで新作を発表し続けたことがスパム行為だとみなされ、すべてのタイトルダウンロードをプラットフォームから全削除されてしまう。この頃から、中央集権的なシステムに疑問を抱くようになり、自律分散型の世界を目指すようになった。しかしその一方で、途方にくれる彼を救ったのもまた、中央集権的なアメリカ企業だった。クラウドコンピューティング企業「ラミナル」は、削除されたモニカ・ブランドのゲームタイトルを自社のクラウド上でプレイできるようにしたのだ。そのおかげでモニカ・ブランド社は倒産を免れた。この時に助けてくれた当時のラミナルの社長ジャック・スミスを、シュウは現在も敬い続けている。

「急に昔話が始まって草」とコウタは鼻で笑う。

「ジャック・スミス氏はその後、日本法人の代表も兼務し、若くしてセミリタイアしました。日本で家庭を築いて幸福に暮らしています。立派なご家庭でした。私が日本での仕事を増やした背景に、ジャック・スミス氏の存在があったことは否定できません。まさか、ジャック・スミス氏のお嬢さんに、君が手を出すことになるとは、まったく想定していませんでしたが……」

「……え？」

「ジャック・スミス氏のラミナルにモニカ・ブランドを救われる一方で、精神的に私個人をブレイクスルーに導いてくれたのは、インド旅行中に出会ったある日本人の男でした。仮にKとしましょう」シュウは話し続ける。

モニカ・ブランドの経営をなんとか安定させると、シュウは信頼できる部下に経営を任せて休暇を取り、インドへと飛んだ。世界中で活躍するビジネスパーソンが当時積極的に取り入れ始めていた瞑想を、シュウは本場のインドで本格的に体験したかったのだ。なかでも「物事をあるがままに見る」という意味のヴィパッサナー瞑想法を修得するために、ブッダが悟りを開いたことで知られるインド北東部ブッダガヤのヴィパッサナー瞑想センターへと向かった。そこでKと出会い、同じ合宿場に寝泊まりし、意気投合したのだった。

Kとともに一〇日間の瞑想体験を行い、それが終わると、ふたりでバラナシ（ベナレス）やアーグラー、リシケシなどを旅し、デリーで別れるまでの数週間をともに過ごした。

「彼とともに学んだことはいくつかありますが、その一つは、現在にフォーカスすることで思考を超越することです」とシュウは話し続ける。

「思考を超越すると、身体は深く休息しながらも心は目覚め、これまでにない充足感や活力を得ることができるようになります。この体験は私にとって非常に重要で、過去の自分がいかに過去や未来といった現在以外の時間に心を捉われ、今を受け入れることを拒んでいたか、気付かせてくれました。

もう一つ、私がインドで得た大きな気付きは、意識にはいくつかの段階があるということです。普段私たちは、起きている状態、眠っている状態、夢を見ている状態の三つの状態の意識しか感じることができません。これを広い意味で『思考』と呼んでいいでしょう。繰り返しますが、瞑想は思考を超え、意識を高い次元に引き上げてくれるものです。この、瞑想によって得られる高い次元の意識は、純粋意識と呼ばれています。そしてさらに高次元の意識が、宇宙意識と呼ばれるものです。

宇宙意識とは、瞑想の理論においては『純粋意識』と『普段の意識』の両方を同時に生きる状態のこととされます。よりカジュアルな言い方として『宇宙とつながること、調和すること』と解釈されることもあります。Kはそれを『大いなる意志・流れのもとに身を委ねてみること』だと説明しました。

私はこれにヒントを得て、次のような仮説を立てたのです。つまり、もし、個を超えた意識が宇宙のようなどこか別の場所にあるとするならば、そして、そうした大いなる何かとつながることができるのであれば、私たちが感じているこの意識を大いなる場所に『移す』こともできるのではないかと。その考えをKも気に入ってくれました。

そんなふうにおたがいの考えをぶつけ、議論をしながらインドを旅することで、私たちは最終的に次のような仮説に辿り着いたのです。

すなわち、もしも意識を仮想世界に完全に移すことができるのであれば、人は永遠の生命を獲得することができるかもしれない、と」

「へえ。あの話って本当だったんですか」と言いながら、コウタの頭にその内容は半分程度しか入っていなかった。意識がどうのという話の前段、「シュウを救ったジャック・スミスの娘に自分が手を出した」と指摘されたことが、コウタを少しだけ動揺させていたからだ。

「それからです、私が自分のふたつの使命を理解したのは」とシュウが続ける。「一つは、近い将来必ず訪れるであろう、世界のコミュニティメカニズムの移行——中央集権型から自律分散型へ——をスムーズに完了すべく尽力すること。もう一つは、仮想世界とブレインテックをつないで永遠の生命を可能にすること。プラットフォーマーの犠牲になり、とある企業家に助けられ、インドに旅をして日本人と瞑想や議論をしながら、私は自分の人生の道筋をようやく見つけることができたのです」

「その結果がこれ……と」とコウタは鼻で笑ってしまう。「ただの暴力だと思いますけど。ていうか一応、ぼく、あなたの会社の一員なんですけどねー。まあ、もう言える立場じゃないんだけど」

「私にとって日本という国は三つの理由で特別です」シュウはコウタを無視して話し

続ける。「第一に、子どもの頃から日本のマンガやアニメ、ゲームなどの文化に親しみ、憧れていたから。第二に、私の人生にとって極めて重要な二人の人間が日本に拠点を置いているから。第三に、私が求める仮想世界を実現するための技術が日本にあるから。君たちになじみの深い Working Guidelines の中に、こんなものがあるでしょう」

シュウは立ち上がり、窓のブラインドを開けて街の景色を見ながら言う。

「『大きな仕事と取り組め、小さな仕事はおのれを小さくする。難しい仕事を狙え、そしてこれを成し遂げることに進歩がある』」

コウタはまたしても鼻で笑ってしまう。シュウが続ける。

「『取り組んだら離すな、殺されても離すな、目的完遂までは……。周囲を引きずり回せ、引きずるのと引きずられるのとでは、永い間に天地のひらきができる』」

「いや。やめてくださいよ。ぼくらその世代じゃないので」

「私は、私の使命を完遂させるまでは殺されても離すつもりはないし、周囲を引きずり回すつもりでいます。逆に、私を殺そうとする者が現れるならば、私はその人間を奈落の底に引きずり落とさなければならない」

そこでコウタはハッとする。シュウがいつもと違う言葉遣いになったからだ。

「君はどうやら、私の邪魔をしたいらしい」

コウタはシュウを見た。

シュウがコウタを見ている。表情がなかった。表情がないということが、彼の本気を示しているのだとコウタは理解した。普段は温厚で柔和なシュウがそんな顔をするのは見たことがない。

自分は今、本当のヤン・マルク・シュウを目の前にしているのだとコウタは思う。今目の前にいる男は、目的のためなら手段を選ばない冷徹な男のように見える。

「理想を実現するため私の邪魔をする者は、排除されなければならない」

シュウが一歩ずつコウタに近付いてくる。シュウは無表情のままで、その目は暗かった。

人の目を見て暗いとか明るいとか思ったのは初めてだ、とコウタは思った。これが覚悟を決めた人間の顔なのか。

コウタは今、初めて人の気持ちを想像できた気がした。人の気持ちがわかることがこんなに重いことだとは知らなかった。

縛られた手が小刻みに震えている。手の震えに気付くと、自分の歯と歯が音を立ててカチカチ鳴っていることにも気付いた。

寒かった。

いや、寒さではなかった。恐怖だった。

コウタは恐怖という感情をはじめて自覚した。

「言い残したことは？」

シュウが目の前で仁王立ちしている。何か言わなければいけない。だが何を言えばいいのかわからない。喉が舌で詰まるような感覚があり、全身の毛穴から冷たい汗が噴き出ていた。

「何もなければ……」とシュウが腕まくりするのを見て、コウタは「こ、声！」となんとか声を絞り出した。

「声？」

「声、聞きたいです」

「誰の声ですか？」

「こ……恋人の……」

「まだ出てくるの？」

ログアウトしてしまおうかとモモは何度も思った。倒せども倒せども、爆撃機の中から敵が降ってくるからだ。時おり爆撃機本体からも砲弾がある。砲弾を避けようとして、一致団結していたコミュニティメンバーは散り散りになり、各自個人戦を強いられていた。今や戦場はOASIS TOKYO全域に広がっているようだった。数メートル先から聞こえてくる音だけで味方の無事を確認する。

モモは実験解放区や城下町商店街から少し離れたストリートで戦闘を続けていた。体勢を立て直すため、自分の部屋に避難し、少しだけ体力を回復させようとベッドに座る。

今ここで何もなかったかのようにログアウトしたらどうだろう、とまた考えた。設計図NFTは手に入れられなかったけれど、もうじゅうぶんよく戦ったのだから、自分を責める人はいないんじゃないか。

戦いたくなかった。嫌なことを乗り越えるのは一度だけでいいはずだ。

昔見た映画や漫画では、主人公は絶体絶命のピンチに陥ると、自分の苦手だった何かを乗り越えることでピンチを脱し、まもなくハッピーエンドに向かっていた。モモが知っているだいたいのフィクションはそうだ。だったら、とモモは思う。一度乗り越えたんだからもういいじゃん、早くハッピーエンドにしてよ。

だが戦況は変わらない。遠くで砲弾が弾け、レーザー光線が放たれ、街が壊れる音がする。誰かと誰かが闘い、叫び、怒鳴り、傷ついている音がする。もうやめてよ。いつになったら終わるの？

その時、通知が届く。タブをタッチすると、見知らぬ誰かからの音声通話のようだ。受信を許可しますか？　はい。

「モモ？」

コウタだった。

「コウタくん!?　なんで？　どこにいるの今？」

コウタの声はモモを蘇らせた。もう一度彼に会わなければならない。できるだけ早く。

「実は、OASISじゃないところにいる」

「どこ？」

「渋谷。現実の……」

「現実ってなに？」

「渋谷の、モニカのオフィス……」

「どういうこと？　どうやって電話してるの？」

「つかまった」

「つかまった⁉」

「ごめん」

「……」

「君のお父さんは有名な起業家だったんだね。まさか、シュウさんと個人的なつながりがあるとは」

「どういうこと？　ていうか大丈夫なの？」

「申し訳ない。ハッキングに失敗してつかまったんだ。大丈夫ではない」

「大丈夫じゃない……？　どうしたらいいの……？」

「最後に君の声を聞きたかったんだよ」

「なんで最後とか言うの、やめてよ」

「たしかに。最後の時にわざわざ最後と言う必要はない。そんな無駄な報告をする時間があるなら他に伝えるべきことを伝えるべきだろう。ぼくは君と会って少し変わったのかもしれないな。正直、自分の行動に理解が追い付いていない。君に音声通話をしたところで状況は好転しない。それなのにぼくは君の声を聞こうとした。合理的ではないのに、とにかく君の声が聞きたかったんだ、それだけを思った」

「私もコウタくんの声聞きたかった。会いたい」

「ぼくもだよ」

「会えないの？」

「残念だけどもう会えない」

「やだ。どうすれば会える？」

「そうだな、ぼくの代わりに君がもしハッキングできるなら、その可能性もゼロではなかったけれど、ぼくにできなかったハッキングを君にできるとは思えない。結局、シードフレーズがわからなくて――」

「……わからなくて？」

「――」

「え？　コウタくん？　コウタくん？」

何度呼びかけても反応しない。接続は切れていた。

Chapter 17

Mystery Solving at Metaverse and Reality

謎解きはメタバースとリアルで

ユウは自宅のリビングにいる。目の前には複数のバーチャルディスプレイが立ち上がりそれぞれ別の映像を映し出している。ユウはXRコンタクトをカスタマイズしてディスプレイを複数立ち上げられるようにしていた。その一つがとらえているのは無表情なシュウの顔だ。さっきまで穏やかな笑みを浮かべていた男の顔が一瞬にして別人のように変わった。怖かった。ディスプレイ越しにもこんなに怖く感じるのだから、その場にいるコウタはもっと怖いだろうと思った。

『M2M』を出る際、コウタが「ぼくのXRコンタクトに映る映像はここから先、全部君に共有する」と言った。良い案だとユウは思った。もし仮にコウタが何らかの決定的な証拠を見つけ出したとしても、その証拠を消されてしまったら元も子もない。

データのバックアップが必要なように、コウタのハッキングで得られるはずの証拠は他の誰かも保持しておくべきなのだ。

しかし、画面共有で得た情報をどうするかまでは決めていなかった。そんなことを話し合う余裕はなかった。コウタは一秒でも早くハッキングを始めたかったし、自分は早くモモをかくまわなければならなかった。だからすぐにタクシーに乗り込んだのに、乗る寸前でモモはいなくなった。

ユウは自分が何をすべきなのかしばらく悩んだ。みんなはそれぞれ自分のやるべきことを見つけて行動している。私がやるべきことは？　ただ共有された映像を見ているだけでいいの？　他にやるべきことがあるんじゃないの？　ユウはゴールが明確なものをこなすことには長けていたが、自らゴールを設定したり答えを出したりすることは得意ではない。だから何をすべきか答えが出ず、ひとりでしばらくコウタが共有してくれている映像を見ながら考えていた。

どれくらい時間が経ったのか、モモが怒りながら帰ってきて、すぐにOASIS TOKYOにログインしてしまった。

今、モモは隣にいる。ソファに横たわって目覚めない。目が開いたままで、XRコンタクトがグレーに光っている。

モモがログインしてから、もうかなりの時間が経っている。その間彼女がずっと闘い続けているのは知っている。ユウは Discord でそのことを知った。**Discord** はｗｅｂ３でよく使われているテキスト・音声・動画によるコミュニケーションツールで**ＮＦＴ認証**による制御が可能だ。OASIS TOKYO のＮＦＴ保有者専用のチャンネルがあり、ホルダーだけがアクセスできる。いわば『Ｍ２Ｍ』とは違う形の、現実世界におけるコミュニティのコミュニケーションスペースの一つだと言える。

Discord ではあらゆることが共有され、話し合われる。勇敢な誰かが OASIS TOKYO にログインし、デジタルパトラーと闘うモモを見つけ、一度ログアウトして「サラという名前の女のアバターが武装したデジタルパトラーたちと戦っている」と報告した。すると、ひとりふたりとログインしてその様子をたしかめる人が現れ、やがてそこで撮ったスクリーンショットが共有された。本当にモモが闘っていた。しかも素手で。ひとりで何人もの武装したデジタルパトラーたちを殴ったり蹴ったりして、メタバース内を走り回っているようだった。

たしかモモは暴力も格闘技も嫌いなはずだった。サラ先生のヨガ教室にはキックボ

Discord
２０２３年現在も存在するコミュニケーションアプリ。インスタントメッセージ・ビデオ通話・音声通話などが可能。ｗｅｂ３・ＮＦＴコミュニティでのコミュニケーションによく使われる。

ＮＦＴ認証
保有しているＮＦＴが入っているｗｅｂ上のウォレットをdiscordに接続することで認証される。

クササイズのクラスがない。なぜならサラ先生は、パンチやキックのような動きはヨガの本質とは無関係だと考えていたからだ。ヨガとは自分の内なる心と向き合うことであり、身体的なエクササイズはその一部でしかない。キックボクササイズを教えるヨガ教室はヨガの精神を伝えていない。そう批判していた。

そんなモモが、OASIS TOKYOを守るために闘っていた。隣にいる現実のモモの身体は時々不自然にけいれんするように動く。攻撃を受けて傷付いているのだろう。そんな姿を見ていると、ユウは自分も何かしなければと思う。でも、何をすれば？

もどかしい気持ちで、ユウはコウタから共有されている画面を睨み続けた。

そうして睨み続けて数分後、ユウは自分がコウタから画面共有を託された真の意味をようやく理解した。

いや、本当はもっと前からわかっていた。わかっていて勇気が出なかったのだ。だが、勇気を出すべき時があるのだとしたら、それは今をおいて他にない。

ユウはDiscordに、コウタから共有されている動画を共有した。

Discordにリアルタイムで映像が流れる。映像はコウタによるモニカ・ブランド社へのハッキングの様子を映している。OASIS TOKYOの全ＮＦＴホルダーリストが映された。Discordがにわかにざわつき始める。そのほとんどが怒りの声で、すぐにみんなの意見はモニカを止めることで一致した。身体能力の高い人や戦闘に使える特殊・限定アバターを持っている人たちはログインしてモモを助け、そうではない人たちは渋谷のモニカ社に抗議をしようと息巻いた。

ユウは自分がなすべきことをなしたと思い、安心した。

しかしコウタから共有された画面が突然真っ暗になったことで、事態は変わった。音声が聞こえ続けていたから、共有が切れたのではないとわかった。複数の男たちの大きな声と荒い息遣いが聞こえていた。「早く運べ！」と誰かが怒鳴った時、ユウはコウタが拉致されたのだと気付いた。

ユウは自分が何をすべきか、もう迷わなかった。

⊗

セリーヌ・チョウは苛立っている。こんなのは久しぶりだ。

設計書ＮＦＴはまだ見つかっていない。OASIS TOKYOにはＮＦＴホルダーたちが戻ってきて、モニカの上級アバターとゲリラ戦を展開している。デジタルパトラーに扮した若手社員たちは戦闘訓練を受けていないのでまったく役に立っていないし、戦闘に特化した最高性能のＡＩである上位アバターたちも苦戦している。相手も特殊なアバターを装備しているからだ。そのおかげで実験解放区内の探索がほとんどできなくなっている。田中スミス桃も特殊アバターの汎用人型決戦兵器に変身して逃げ回っているため確保できていない。

一方、社員のひとりが会社にハッキングを仕掛け、あろうことかボスのウォレットに侵入まで試みた。許し難い反逆行為だ。一刻を争う事態になったため、セリーヌは仕方なく東京のギャングたちを動員した。このことが世間に知られたら非常に面倒なことになる。だが手段を検討している場合ではない。

セリーヌの頭を悩ませる事態は他にもあった。ウェブ上でモニカ・ブランドに対する抗議活動が始まったのだ。抗議は同時多発的に発生し、今やOASIS TOKYOとは何の関係もない人間たちも騒いでいる。すぐに指示を出して部下に出どころを調べさせているが、大手メディアが嗅ぎつけるのも時間の問題かもしれない。

なぜ一度にこれほどのことが起きるのか理解不能だった。セリーヌは苛立ち、この騒ぎが終わったらチョコレート・パフェを死ぬほど食べてやろうと心に決める。

だが彼女がパフェにありつくのはしばらく先になりそうだ。渋谷の街で暴動が起きたと部下から報告が入ったのだ。暴漢たちはモニカ・ブランドへの不満を叫びながらオフィスに向かっているという。

セリーヌは舌打ちして「何なのよ！」と叫ぶ。

⊛

モモは混乱している。メタバースにログインしていないコウタから音声通話がきたことに、そのコウタがモニカに捕まったことに、そうして音声通話が途中で切れたことに。何が起きたのかわからなかった。だがコウタがよからぬ事態に巻き込まれていることはたしかだ。

再び音声通話がかかってくる。今度はテレサの名前が表示される。

「モモちゃん、平気？」

ものすごく久しぶりにユウの声を聞いた気がして、モモは少しだけ不安がやわらぐ思いだった。

「私よりコウタくんは平気?」

「だいぶまずい。でも、手は打った。あとは奇跡を信じる」

「ユウちゃんは? どこにいるの?」

「今ログインして、実験解放区のビジネス・ゾーンに隠れてる。でも私、特殊アバターじゃないし闘えないからすぐにログアウトしなきゃ。その前にモモちゃんに一つだけ教えてほしいことがある」

「なに?」

「一二個の英単語で、何か心当たりあるものは?」

「シードフレーズ?」

「そう。モニカの社長、ヤン・マルク・シュウのウォレットに侵入したい」

「そんなの私にわかるわけ……」

「モモちゃんのお父さんに関連する何かだと思う」

「なんでコウタくんといいユウちゃんといい、急にパパの話するの」

「あなたのお父さんはヤン・マルク・シュウの恩人なの」

「いや、そんなわけ……」

「記憶にないかもしれないけど、子どもの頃のモモちゃんは若い頃のシュウに会ってるはず。シュウはモモちゃんの家に行ったこともあるんだよ？　お父さんに会うために。それくらい親密な関係だったの。知らなかった？」

「嘘でしょ？」

「シュウ本人がコウタさんに言ったんだから。ジャック・スミス氏のお嬢さんに君が手を出すことになるとは、って」

「……」

「だからあいつらよく知ってたんだよ、モモちゃんのこと」

「でも、どうすれば……」

「なんでもいいから思い出せない？　一二個の英単語につながりそうなこと。シュウとお父さんの関係に何かヒントがある気がする」

「そんなこと言われても……一二個の英単語って……」

　モモは自分の部屋を見回す。ここは自分の部屋だ。現実の五反田のマンションの部屋の写真を取り込み、ＡＩによって３Ｄモデルを作成した空間だ。こんなところにシユウのウォレットに侵入するためのヒントがあるはずがない。しかし探すふりでもしていないと自分の精神がもたない気がした。わけのわからないことばかり起きている。

こうしている間にもコウタはシュウに傷つけられているかもしれない。早くユウをログアウトさせないと実験解放区の中で設計書ＮＦＴを探し回っている奴らにやられるかもしれない。

自分もユウも、今すぐログアウトして警察に通報したほうがいいんじゃないのか？そんな考えがふと浮かんだ。そうだ、警察、警察に通報しよう、なぜ今まで警察に頼ろうと思わなかったのだろう、ハッキングは犯罪かもしれないが拉致監禁だって犯罪だし、何よりコウタの身体が危ないかもしれないのだから、今すぐログアウトして警察に通報すべきでは――。

「え？」

モモの視線はある一点で止まった。

「何かわかった？」

「待って」

モモの視線は、棚に置かれたデジタルフォトフレームをとらえていた。写真には幼い頃のモモと、若き日の父、母が写っている。ただのありふれた家族写真でしかない。撮影場所は父が経営する空手道場だった。幼い頃に毎日のように通った、嫌いだった空手の練習をさせられたあの空手道場。

そう、空手道場だ。空手道場と一二という数字がモモの中で結びついた。

もしかして……道場訓？

道場訓とは、その武道を学ぶ者に期待されることや禁止されることを示す規則のようなものだ。父の道場には十二個の道場訓があった。

まさか？

ありえないとは思うが、ケンとユウの言葉が頭の中で繰り返し再生される。

「ヤンは悪い人間じゃないからね、むしろものすごく義理堅くて人とのつながりを大事にする人間だよ」

「あなたのお父さんはヤン・マルク・シュウの恩人なの」

モモは十数年ぶりにその道場訓を口ずさむ。心身を錬磨すること。機に発し感に敏なること。努力の精神を涵養すること。礼節を重んじること。謙虚であること。知性を向上させること。他者を尊重すること。血気の勇を戒めること。社会に貢献すること。隣人を愛すること。利他的であること。誠の道を歩むこと。

「……今の何？」とユウの声。

モモはフォトフレームを手元に引き寄せ、写真を凝視する。写真に写る三人の背後の壁には、立派な額に表装された道場訓が掲げられている。額はたしか、道場の完成祝いにプレゼントされたものだ。父はこう言っていた。

「とても義理堅い、昔の知り合いがいるんだ」

ズームして額をよく見てみる。右下に小さく誰かのサインがある。父のものではなかった。

Jan Mark Chou 周陽

「一二個の英単語、わかったかも」

「うそ？　なに？」

「ログアウトするからユウちゃんもログアウトして」

「わかった！」

⊗

「わかったの!?」

ユウが耳元で叫ぶが、目覚めた瞬間、左腕に激痛が走って即答できない。

「痛いの!?　大丈夫!?」

左の肘から肩を通って頭にかけて鈍い痛みが走っていた。力士にやられた時のダメージだ。

「ちょっと待ってね！」ユウがキッチンから氷嚢を持ってきて、モモの左肘に当てる。

「わ、腫れてる……」

「打ち込んで、英単語」モモは声を絞り出す。

「わかった！」ユウが複数立ち上がっているバーチャルディスプレイの一つをタッチ

する。

「道場訓、一つ、吾々は……」モモは道場訓を唱える。「心身を錬磨すること。PRACTICE」

ユウが一つめのワードを「PRACTICE」と打ち込む。

「一つ、吾々は……」とモモが続け、ユウが打ち込む。

一、吾々は、心身を錬磨すること（PRACTICE）
一、吾々は、機に発し感に敏なること（FLEXIBILITY）
一、吾々は、努力の精神を涵養すること（EFFORT）
一、吾々は、礼節を重んじること（POLITENESS）
一、吾々は、謙虚であること（HUMBLE）
一、吾々は、知性を向上させること（INTELLIGENCE）
一、吾々は、他者を尊重すること（RESPECT）
一、吾々は、血気の勇を戒めること（CALM）

一、吾々は、社会に貢献すること（CONTRIBUTION）
一、吾々は、隣人を愛すること（LOVE）
一、吾々は、利他的であること（ALTRUISM）
一、吾々は、誠の道を歩むこと（SINCERITY）

「開けた！　ウォレット入れた！　すごい！」

「あとはユウちゃんに任せた。私は戻る」

「え!?　その腕で!?」

「みんな戦ってるから」

モモの身体が脱力し、瞳がグレーになった。

⊗

シュウのウォレットには数え切れないほどのＮＦＴが保管されていた。大部分は今では手に入らない限定NFTや値上がりして誰も手を出せない高価なNFTで、ユウは目がくらみそうになる。

その中に、一つだけ異質なNFTがある。ドット絵の、空手着姿のキャラクター**PFP**。見るからにNFT黎明期に作られたものだ。

これだ、とユウは直感した。

ソースを表示して**メタデータ**を確認する。アルファベットの羅列が表示される。その羅列をスクロールしていくと、とある住所が記載されていることに気付いた。

ユウはバーチャルディスプレイにマップを呼び出し、住所をコピーする。

その場所が表示されて、ユウは目を疑った。よく知っている場所だったからだ。

「……え？　どういうこと？」

だが疑問に思っている暇はない。ユウはタクシーを呼ぶ。

JR渋谷駅のハチ公広場前。タクシーを降りると、人々のざわめきや3D・ホログラム広告の音が耳に流れ込んでくる。人混みをかきわけ、ユウは広場の地下入口階段を降りた。

PFP
「Profile Photo」または「Profile Picture」の略で、SNSのプロフィールアイコン用の画像のこと。PFPをNFTに設定することで、自分の趣味や所属するコミュニティを表現することが可能。

メタデータ
要約したデータのこと。NFTの画像や名前、属性などの情報はメタデータに保存されている。NFTのデータはすべてブロックチェーン上にあると思われがちだが、ほとんどのNFTコレクションは画像データをブロックチェーン外に保管し、NFTは画像を参照している形になっている。NFTコレクションが画像を参照するときに利用され、橋渡し的な存在。

マップは階段の横を示している。だがその場所にはわずかなデッドスペースがあるだけで何もない。どういうこと？　ユウはそのデッドスペースの上に立ってみる。柱の一部が目隠しになって外からは見えないが、それだけだ。何かを隠せるわけではない。それでもマップはここを示しているのだ。ユウはその場所に立ったまま床や壁を点検する。何か異変はないか？　どんな小さなことでもいい。他とは違うサインのようなものがあるはずだ。

ユウの視線があるものをとらえた。線だ。壁に縦線が入っている。線は地面から縦に約一メートル引かれ直角に曲がり、五〇センチほど横にも引かれて柱につながっていた。明らかに自然に発生したものではない。ユウはその線に触れ、線で囲まれた面を手で押してみた。カチ、という音がして壁が動いた。いや、壁ではなかった。隠されていた折れ戸が開いたのだった。

折れ戸の中にはしご階段があり、さらに地下へとつながっている。ユウは中に入り、折れ戸を閉めてはしご階段を降りた。

階段の下は八畳ほどの部屋になっていた。部屋の中央にラグが敷かれ、その上にテーブルと四脚の椅子がある。奥は壁一面、床から天井まで本棚が設置されていて、紙の書籍で埋まっていた。

「これか！」

ユウは紙の書籍を本棚から引っ張り出し、表紙や中身を確認する。哲学書、小説、科学論文。本棚には古今東西の古典と呼ばれる作品が収蔵されているようだ。

「これも違う、これも違う、これも違う……」

本を出し、開き、中に何か重要な資料が隠されていないか確認し、何もないとわかって本を床に置く。

やがて本棚からすべての本がなくなった。この本棚にはただの紙の書籍が大量にあるだけで、シュウに関係する資料はない。

本棚に仕掛けがあるのか？

調べてみるが何もない。

本棚の裏は？

力を振り絞って本棚を動かすが、何もない。

「……」

何もないということを、ユウは信じたくなかった。

「ここまできたのに？　もう……なんで！」

ヤケになって椅子を蹴り飛ばそうとした。

うまく蹴ることができず、椅子の脚が脛に当たった。

ユウはその場でうずくまり、両手で脛をおさえた。脛の皮がめくれたようだ。

痛みと情けなさと絶望とで、ユウの目には涙があふれた。

みんな戦ってるのに。私はこんなところで、いったい何を……。

ユウは自分がとんでもなく無能な人間に思えてきた。

「なんでもっとできないの？」

「どうしてあんたはこうなの？」

幼い頃に言われた母親の言葉が頭の中で聞こえる。忘れかけていた無力感が蘇ってくる。

やっぱり私はだめなんだ。私がだめなせいでみんなに迷惑かけるんだ。また私のせいなんだ。いつも私のせい。私がばかだから。私がだめなやつだから……。

ラグの上にユウの涙が落ちる。二滴、三滴、四滴……。気付くとラグに涙のしみができている。ユウは自分の涙で濡れたラグを指で拭う。

その指に、硬い感触があった。何かの突起のようなものの感覚が。

ユウは涙で濡れる目元を指で拭い、ラグをめくってみる。

金属の突起だ。

ユウは立ち上がり、椅子と机を壁際に寄せた。そうしてラグを一気にめくり返した。

「……え？」

真ん中に金属の取っ手があり、取っ手のまわりが四角い線で囲まれていた。小さな隠し扉のようだ。

ユウは取っ手に指をかけて持ち上げてみる。

扉が開く。中には箱が入っている。

ユウは手を伸ばして箱を取り出した。

箱を開けると、中には紙の資料の束が入っていた。

⬡

OASIS TOKYOでは戦闘が続いている。

モモは自分の部屋を抜け出してふたたび実験解放区を目指していた。

敵のアバターはそこら中にいる。そいつらを最小限の攻撃で倒していく。左腕は痛くて動かせなかったが、コウタがくれた特殊アバターが強力でモモの力を何倍にも増幅させてくれるので、なんとかまだ闘えていた。力を抜いて身体を動かすのは今も昔も得意だ。

だが、やはり限界があるのかもしれない。どれだけ倒しても敵アバターは次から次へと上空の爆撃機から降ってくる。そのほとんどが、さっきまでのアバターとは比べものにならないほど強い。

敵は次第にこちらの動きに慣れてきているようだった。爆撃機が一定の距離から近付いてこないのは、上空からこちらの動きを観察してデータ化し動きのパターンを解析しているからだろう。デジタルパトラーには人間らしい動きが見えたが、今相手にしているロボットのようなアバターたちは人間だと思えない、人間には動きや思考の癖があるがあいつらにはない、アバターは高性能ＡＩであの爆撃機がそれを操っているのかもしれない。

今、モモは城の庭園で一〇人の敵に囲まれている。味方はひとりだけ。隣にオオタがいる。彼は青く光る剣を杖にして膝をついている。

「どうしますか、オオタさん」

「……」

「ログアウトしますか?」

「いや、敵前逃亡は騎士道精神に反する。ぼくは最後まで闘います。あなたはログアウトしたほうがいい」

見たところオオタはもう動けそうにない。彼はひとりで何百人もの相手を倒したため体力が尽きてしまったのだ。膝をついているのは足をやられたからなのかもしれない。

オオタを置いてログアウトするか? いや。そんな選択肢は今のモモにはない。頭の中では「あなたも自分のGIVEを見つけられるといいね」というコンシェルジュの声がこだましている。私のGIVEは、今ここで闘うことだ。オオタが動けないなら、自分ひとりでこの一〇人を倒すしかない。

モモは覚悟を決め、下腹部に力を集中させた。

「私も闘います。ログアウトしません」

しかしその時、モモのアバターが縮み、いつも通りの女の身体に戻ってしまった。

モモはいまや、紫と緑の装甲で覆われた人型ロボットではなく、いつもの女性ヨガインストラクター・サラだった。

「時間制限があったんですね……」オオタがモモを見て、諦めたように言った。

一〇人の敵アバターとモモたちの距離がじりじりと縮まる。

そのうちのひとりが飛びかかってきた。

もはやこれまでか、とモモは観念した。


しかし、何も起こらなかった。

モモは無意識に閉じてしまった目を開ける。敵アバターはモモの目の前で停止し、消えかけていた。他の九人の敵アバターも動かない。中にはすでに身体が半分消えてしまったアバターもいる。

「……バグ？」

オオタを見ると、彼のアバターには変化がない。城や庭園の様子も変わっていない。ただ敵アバターの様子だけがおかしい。

「どういうこと？」

「何が起きたんでしょうね……。少なくとも、助かりましたが」

モモは空を見上げる。

さっきまでいた爆撃機が消えていた。

⊗

ヤン・マルク・シュウは残りの仕事をＡＩロボットに任せ、社長室からセリーヌ・チョウたちのいる下の階へとエレベーターで移動していた。

セリーヌからの報告は把握している。ある程度の抵抗は想定していたが、事態はなかなか厳しい状況だ。すぐに手を打たなければならない。

エレベーターを降り、扉を開けようとする。開かなかった。ロックされている。シュウは網膜認証を行った。開かない。

シュウはセリーヌに音声通話を試みた。つながらない。

なんだ、いったいどうなっている？

その時、オフィス内に警報が鳴り響いた。火事だと？　シュウは身構え、ＸＲコンタクトのバーチャルディスプレイを操作して社内状況を確認する。接続が悪くて操作できない。

いきなり扉が開き、中からセリーヌが出てきた。

「ボス！」

中では社員たちがパニックに陥っている。髪を振り乱して荷物を片付ける者、音声通話で怒鳴っている者、何か言い合いをしている者、泣いている者。

「これは……どうなっているんですか？」

「外を見てください！」

セリーヌに促されてブラインドの隙間から外を見る。

群衆がオフィス前に押し寄せていた。「モニカ社の不正を許さない」「NO MONICA」といったプラカードを掲げ、拳を突き上げ、何か叫んでいるらしい。昔風のやり方で抗議している。

警報はまだ鳴り続け、社員たちが扉から逃げていく。

「この警報はなんですか。止めましょう、早く」

「ハッキングです！　警報は外から操作されています、どこからかわかりません、複数の人間があらゆる方法でモニカをハックしています、もうコントロールできません！」

「わかりました。まずは落ち着きましょう」シュウはセリーヌの肩に手を置き、微笑みかけた。「できることからやりましょう」

「あ！」

セリーヌがシュウの後方を見て小さく叫んだ。

シュウは振り返った。

何十人という日本の警察がオフィスに入ってきた。

闘いは終わったのだ。

Chapter 18

ノンファンジブルミー

Non Fungible Me

あれから数日後、コウタは参考人として取り調べを受けていた。何から話せばいいのか迷ったが、渋谷警察署の職員たちは事件の全体像を把握していて、話はスムーズに進んだ。

シュウが自分を殺そうとしたかどうかについては正直に「わかりません」と答えた。社長室に入ってきたＡＩロボットは途中で動きを停止してしまったため、シュウの意図が何だったのかわからない。

コウタが驚いたのは、警察職員たちが妙に親切だったことだ。昔の映画やドラマのように取り調べ中に怒鳴り散らしたり相手を威圧したりせず、まるでカウンセラーのように共感を示しながらゆっくりと話を聞き出そうとした。渋谷警察署で会ったすべての職員があまりにも親切だったので、コウタは罠ではないかと疑った。だがある職員の話によれば、ほとんどの仕事がＡＩに取って代わられた現在、警察官などの社会生活を維持するために必要不可欠な仕事に従事するエッセンシャルワーカーは人力が主であり、ＡＩはあくまでも従なのだという。その代わり人間に求められる能力が変化し、今の警察職員には公認心理士などの資格が求められるようになった上に「感じの良さ」の重要性が高まり、傲慢で短気な職員は採用されなくなったという。

以前のコウタであれば、その非効率さを鼻で笑ったかもしれない。しかし今、彼は素直にその「感じの良さ」をありがたく心に受け取り、「ありがとうございました」と警察職員たちに深々頭を下げる。「感じの良さ」とはつまり、相手の気持ちを想像し、相手の心情や状況に合わせた言動をすることだ。それは人間関係を良好にする。そうであれば、人に対して感じ良くあることは、合理的であると言える。

渋谷警察署の入り口から外に出ると、モモとリクが待っていた。モモは左腕をギプスで固定し、リクは松葉杖をついている。その姿を見て、コウタはふたりの痛みを想像してみた。うまくは想像できなかったが、自分が受けた傷よりも重いことは明らかだ。そう考えると言葉を失ってしまう。

しかしふたりの反応は軽かった。「これ、おおげさだよね？」とモモが言えば、リクは「ね」と笑う。すでに医者に診てもらい、二週間程度で治ると診断されたらしい。脳に損傷もなかったらしく、ふたりとも元気だ。

「無事で良かった」とコウタはふたりに声をかける。「安心したよ」

「コウタくんも。怖かったよね、拉致されて、監禁されて……」

「正直、初めて恐怖というものを感じた」

「コウタさんも恐怖を感じることがあるんですね」

「うん、怖かったな。怖いと身体があんなふうに反応するんだと驚いたよ」

「ＡＩが恐怖を知って感情を学んだんですね……」

リクが笑うが、モモは笑わず、心配そうな目でコウタを見つめる。

「頭殴られたんでしょ？　大丈夫なの？」

「ぼくのは君たちに比べれば大したことないから。なんともないよ。それより君はヨガだけじゃなくて格闘技まで得意だったんだね」

「ログインするなって言われてたのに勝手にログインしてごめんなさい」

「さっき君が闘っている映像を見せてもらったけど、すごかった」

「あんまり見てほしくなかったな」

「コウタさん、これからモモちゃんの言うこと聞かないとしばかれますよ」

「そうだね」

　またリクが声をあげて笑う。

「ユウちゃん！」とモモが叫んだ。振り返ると、渋谷警察署の入り口からユウが出てきて、照れくさそうに微笑みながら三人のもとに駆け寄ってくる。ユウもコウタと同じように事情聴取を受けていたのだ。

「長かったね。お疲れさま。大丈夫？」モモがユウをねぎらう。

「何回も同じ話をさせられて疲れちゃった。自分がしゃべってる動画もたくさん見せられたし、なんか恥ずかしかった」

「いや、ほんとお疲れさまです」とリク。「なんとかなったの、ユウさんのおかげですよ。助かりました。あんな闘い、あれ以上続けられなかったし」

「でも私はふたりみたいに闘ってないし」

「いやいや、じゅうぶん闘ったと言えるでしょ。俺らのはある種の原始的な闘い方で、ユウさんのほうが全然スマートな闘い方ですよ」
「そうだよ。ユウちゃんが多くの人たちに訴えてくれなかったら、私たちどうなって
たかわかんないし」
「その通り。君が全世界に映像を発信し、多くの人々を動かしたんだ。ぼくらが死な
ずに済んだのは君のおかげだろう。ありがとう。君は恩人だ」
「恩人……恩人なのかな。でもそれを言うなら、みんながみんなの恩人かもしれない
ですね」
ユウはコウタから共有されていたXRコンタクトの映像をDiscordに共有したあと、
それを動画サイトやSNSにもばらまいた。さらには渋谷駅地下の隠し部屋でモニカ・
ブランド社の極秘ファイルを発見したあとは、その内容もすぐ全世界に公表した。そ
れらの動画やファイルが何を意味し、今何が起きているのかを、自分の声と文章で説
明し、モニカ・ブランドの暴走を止めるべきだと人々に訴えた。
するとその情報をキャッチした大手インターネットTVプラットフォームが大々的
に取り上げるとともに、生放送番組にユウを登場させた。遠隔で番組に出演したユウ
にとって、それが初めてのメディア出演だった。本来の彼女ならしり込みしてしまう

ところだが、自己対峙の末に自分のやるべきことが見えたのか、この緊急事態の中で覚悟が決まったのか、今までの彼女とは思えないほど堂々としていて冷静だった。それでいて、時には感情を込めて熱っぽく人々に語りかけた。「お願いします！　どうか力を貸してください！　みなさんの力が必要なんです！」と。

コウタは署内で警察職員からその映像を見せられたが、はじめは**ディープフェイク**なのではないかと疑った。そこに映っていたユウは、コウタが知っているユウとはまるで別人のようだったからだ。

まだ創業したブロックチェーンゲーム会社をバイアウトする前、コウタは新卒で入社してきたユウの面倒を二年ほど見た。当時の彼女は目の前の課題解決やチーム内の調整には長けていたが、自らゴールを定めて自分の意思を大勢の前で発信することはなかった。それが彼女の課題だとコウタは思っていたし、直接本人にそう伝えたこともある。「わかりました」と当時の彼女は言ったが、人はそう簡単には変われない。最近はOASIS TOKYOのSDGsゾーンに頻繁に顔を出していたようだが、彼女の動き方は基本的にはあの頃と変わっておらず、ひたすら目の前の課題解決とチーム内調整をやっているように見えた。そんな彼女が、モニカ・ブランド社の不正を世に訴

ディープフェイク
AI技術を使って、動画の中の人の顔などの一部を入れ替える技術。

え、大企業の暴走を止めるべく、一般の人々に泣きながら協力を呼びかけているのだ。映像の中で人々に繰り返し訴え続けるユウは、誰かと対立することを極端に避け、自分の意思を内に秘めているだけの人間ではなかった。

そんなユウの姿を見た多くの人が心を打たれて行動を起こした。ある人はユウの動画を拡散し、ある人はSAKIKOたちのデモに参加した。またある人は政府や警察に働きかけ、ある人はコウタと同じように、モニカ・ブランド社にハッキングを仕掛けた。一人ひとりの小さな動きはまた別の誰かの心を動かし、コミュニティを飛び越えて巨大な渦になり、やがてモニカ社を飲み込んで制御不能にさせた。おそらく自分を処刑するために社長室に呼ばれたAIロボットが停止したのも、世界のどこかにいる誰かのハッキングによるものだろう。

ただ、コウタには一つだけわからないことがあった。ウォレットの侵入方法だ。

「ユウ、シュウさんのシードフレーズはどうやって破った？　ぼくには今でもわからないんだけど」

「モモちゃんが解明したんですよ。ね？」とユウはモモを見る。

「そんな、解明なんて。私、ユウちゃんの言葉に従っただけだよ。だから答えの一つ手前まで解明したのはユウちゃん。あとは勘」

「その手前まではどうやって解明した？」

「私も勘ですね」とユウが微笑む。「コウタさんのXRコンタクト越しに見てたシュウの言動から、なんとなく、モモちゃんのお父さんに関係あることかなと思っただけ。シュウは怖かったし私は許せないけど、律儀に人とのつながりを大事にする人でもあるのかなって感じて。あとはモモちゃんに丸投げしちゃった」

「勘、か……」とコウタは考え込む。自分の会社を守ってくれたのがモモの父親で、そのことをシュウは感謝し続けている、たったこれだけの情報から答えにたどり着くことが本当に可能だろうか。そもそも答え自体が論理的とも理性的とも言い難い。論理的でも理性的でもない答えを導くためには、一見関係のないもの同士を結びつける人間の「勘」のようなものが必要なのか……。

「ぜんぶコウタさんのおかげっすよ」とリクが言う。「画面共有しながらハッキングして、捨て身でモニカに乗り込んでまでシュウと対決してくれたから」

「乗り込んだんじゃなくて拉致されたんだよ」

すかさずコウタがそう返すが、それがツッコミのように響いて、四人は声をあげて笑い合う。

⊛

モニカ・ブランド社が取得した51％のＬＡＮＤは、それぞれブロックチェーンに刻まれた一つ前の持ち主の元へ返還された。警察の発表によると、正当に買い取ったＬＡＮＤも中にはあったが、そのほとんどが脅迫によって不正に取得したものだったという。そうした不正の計画が、渋谷駅地下の隠し部屋にあったファイルに記載されていた。隠し部屋は、西口バスターミナル地下や東口雨水貯水施設など大規模地下施設をつくる際にできてしまった空洞でしばらくの間使われていなかったが、シュウが個人名義で高額で買い取ったものだという。

シュウやセリーヌはじめモニカ・ブランド社の役員数名は逮捕され、株価は急落した。

コウタはフリーのエンジニアとして活動しながら、再度起業するための準備をはじめている。「何をやるの？」とモモが聞くと、コウタは「すごく楽しいこと」と答える。OASIS TOKYO内にはすでに、中高生のためのメタバースクリエイター専門学校を設立した。『M2M』のオーナー・BBBも講師として就任し、現実世界とメタバース両方から注目されている。第一期の募集が始まったばかりだが、すでに応募が殺到している。「もっと多くの若者がメタバースクリエイターになってたくさん日本発のコンテンツをつくることができれば、日本はまた世界で戦えるようになる。そんな環境をつくりたいんだよ。いずれ低年齢向けのクラスも作らないと」と話している。そういう時のコウタは本当に楽しそうだとモモは思う。

実際、コウタは楽しんでいた。楽しいという感情は新鮮だった。以前感じていた知的好奇心を刺激されるおもしろさとは少し違う。もっと単純で、ある種の非論理的な、しかしもっと根源的な何かを心に感じる。それが何なのか、彼はまだ言語化できていないが、少なくとも今の自分の幸福が最大化されていると彼は感じている。

効率や利益を度外視してもやりたい、やるべきだと思うことが増えた。メタバースクリエイター専門学校はその代表的なものだ。この学校を設立しても、利益は寄付や

DAOの運営に回るので、コウタに入る利益は最低限。日本の将来を本気で憂いているのかといえば、実のところそこまで国に対して熱意があるわけでもない。それでもすぐにやるべきだと信じてはじめた。なぜなのかと人に問われる。その度にコウタはこう答えている。

「それは、勘です」

モモはヨガインストラクターを続けている。昨日からヨガドームで新しいクラスを始めてみた。これはモモにとって挑戦だった。一度もやったことのない種類のクラスだったからだ。それなのに、モモ（サラ）のクラスは応募者が多すぎて、開始前からクラスを増設することになった。クラス名は「バトルヨガ入門」。あの戦いのせいで、サラ先生はOASIS TOKYOでもっとも有名な格闘家として認知されることになったのだった。ただし、激しい動きは前半の半分だけ。後半は自分と向き合い解放するための瞑想の時間だ。そうやってエネルギーを発散して感情をコントロールする術を学べるのが好評のようだ。

モモは初回のクラスにゲスト講師として父を呼んだ。しばらく連絡を取っていなかったにもかかわらず、父は快諾してくれた。クラスが始まる直前にログインしてもらい、部屋に呼ぶと、父は現実世界の自分の顔とまったく同じ顔のアバターで、名前まで同じ「ジャック」だった。

「私は私のままでいい」と父は言った。その言葉はモモの胸を打った。

そう、私は私でいいのだ。

昔の自分も今の自分も、現実世界のモモもメタバースのサラも、そのすべてが私なのだ。たしかにそれらは少しずつ異なる人格かもしれないが、人はたった一つだけの人格を生きているわけではない。いくつものコミュニティに属し、そこでの人間関係を通して、それぞれの人格を形成する。そうしてできた人格の集積を「わたし」と呼ぶのではないか。

だから、私は私でいい。もっと言えば、どこまで行っても私は私でしかないし、と同時に、私は多方面に進化する存在でもある。その進化を助けてくれるのがコミュニティなのだろう。

モモは今、父を素直に認める。長い年月をかけて自分と向き合い、自分という人間の核を作り上げてきた人だったのだと。

頑固であることと核があることは違う。頑固なのは私だったのだ。私が頑固だから父のことが頑固に見えていたのだ。

今は父の気持ちが少しだけわかる。少なくとも、父の気持ちを想像しようとするようになった。これまでさんざん親不孝な態度を取ってきたから、これからは父のために何かをしたい。母も喜んでくれるだろう。

「TAKEじゃなくてGIVEすることね」「あなたも自分のGIVEを見つけられるといいね」と言ったコンシェルジュを思い出す。あるいは「あなたはきっと大丈夫。今新しい世界の入り口にいる、あとは少しずつ慣れるだけ。焦らないで」というミカの言葉を思い出す。その意味がようやくわかった気がしている。私は私のGIVEを通して、TAKEが中心だった人生から卒業するんだ。焦らずに、自分のペースで。

モモはそんなふうに思う。

OASIS TOKYOでは街の再建設がはじまっている。

メタバース内の街の再建はデータを再構築するだけだから、現実世界の街ほど時間はかからない。すでに大部分は復旧し、城下町商店街やランウェイ、スタジアム、実験解放区などには人が戻って賑わっている。特に実験解放区内のビジネス・ゾーンとＳＤＧｓゾーンの復旧は早く、むしろ以前よりも活発にさまざまなプロジェクトが動き出すようになった。

この機会にガイドラインの再検討もはじまり、新たなガイドライン策定検討のためのプロジェクトチームが結成されることになった。参加はもちろん自由で、メンバー全員が等価値の投票権を持つ。外部の有識者なども交えながら、なぜ今回の事件が起きてしまったか、再発防止のためには何が必要か、そしてOASIS TOKYOが目指すものとは何なのか、改めて活発な議論が行われている。

リク（サム）は以前から関わっていた「ＳＢＹ」のデジタルファッションプロジェクトにさらに打ち込むようになった。モデルのＳＡＫＩＫＯがジョインしたこともあり、このプロジェクトは各方面から注目を集めている。リクは元々持ち合わせていたフットワークの軽さと情報を整理して組み立てる構成力の高さを活かし、ＳＡＫＩＫＯが持つ人脈をうまく使ってプロジェクトを成長させている。自分の強みを活かして主体的に動いた結果が目に見える形で世に出ていくことに喜びを感じている。

リクは、今後は会社の仕事を減らしてメタバース内で動く時間を増やし、プロジェクトの可能性をより広げていこうと考えている。だが会社をやめる気はない。メタバース内だけでなく、リアルとメタバースをもっとスムーズに行き来できないか、そのために所属している会社をうまくハブにできないかと日々頭を悩ませている。最近、リクの提案が通り、会社がOASIS TOKYOにオフィスを構えることになった。現実世界とメタバースがどんどん交錯し始めている。まだまだやれることがあるはずだ。

そのプロジェクトには、ユウ（テレサ）もジョインした。主にプロジェクトの広報を担当し、ＳＡＫＩＫＯ、リクのふたりと行動をともにしながら、対外的にプロジェクトの意義や効果を発信している。

彼女は引き続きＳＤＧｓゾーンの他のプロジェクトにも参加しているが、役割が変わった。今やプロジェクトによってはチームを率いるリーダーだ。あくまでも以前と同じように、他人の立場に立ち、争いを避け、集団の和を最優先にしながらも、必要とあれば主張と発信をおそれずに周囲に道筋を示す、そんなリーダーになった。しかも彼女は実験解放区の外でもまちづくりＤＡＯに参加したり、配信スタジオで配信ラジオ番組のＤＪをしたりもしているから、OASIS TOKYO内では場所を問わず信頼され、多くの人に頼られている。彼女はそんな自分を気に入っている。

現実世界では、勤めていたＩＴ企業をやめ、フリーのジャーナリストに転身した。環境問題を中心に、文字や動画など、自分の言葉と声で社会に問題提起したり発信したりするようになった。

自分の意見を発信するようになって、ユウはこれまで胸のあたりにつかえていた何かが取れたような気がしている。それが何なのかはまだはっきりわからないが、なぜか久しぶりに母に会いたくなった。今度会いに行こう、遠慮しないで素直に自分の思っていることを話してみよう。ユウはそんなふうに思い、そう思える自分がなんだか以前より自由になった気がしている。

再建設と同時進行で進んでいるのが、OASIS TOKYOの新たな門出を記念した大規模イベントの準備だ。イベントは二日間開催され、一日目はスタジアムや城下町商店街、実験解放区など、OASIS TOKYO内の施設を横断する形で開催される。二日目はＪＲ渋谷駅前の西口バスターミナル地下にある広大なスペースでの開催と、メタバースと現実の両方で大々的に行われることになった。プロデュースはケン率いるハーモニアス・カコフォニー。先日、ロックミュージシャンＭＩＮＡＭＩと歌手のＨＡＲＵＮＡの出演が発表された。出演者は第二弾、第三弾と、少しずつ発表されるという。

モモ、コウタ、ユウ、リクの四人は、メタバースでも渋谷の『Ｍ２Ｍ』でも、定期的に集まるようにしている。四人のつながりはもはや一つの小さなコミュニティだ。心地良いだけでなく、なりたい自分、新しい自分に出会うためのきっかけをくれるかけがえのないコミュニティだと全員が思っている。四人とも忙しいが、イベントの日は仕事を休みにしようと決めた。その日だけは、OASIS TOKYOが元に戻ったことを心の底から喜びたい。OASIS TOKYOの新しい門出は、四人それぞれの、真に自分らしい人生が始まったことを祝うものでもあるのだから。

EPILOGUE

二〇三五年、東京拘置所

「それで、どう？　ここの生活は」

強化アクリル板の向こうにその男が係員と一緒に現れると、ケンはようやく古いパイプ椅子に座った。座ったまま待っているのは失礼な気がしたからだ。だが、あまり固くなってもそれはそれで失礼な気がしたので、出会った頃のようにラフに話しかけた。

「悪くはありませんね。来てくれてありがとう」

ヤン・マルク・シュウはいつもと変わらない柔和な表情とていねいな言葉遣いで、ケンの面会を歓迎した。係員は部屋の隅に壁を向いて座り、紙の日誌のようなものを開いて読み始めた。

「部屋は清潔で、トイレもありますし、食事は少ないですが栄養のあるものが出されています。窓からは空も見えますし、移動の際はこのようにしてスタッフが付き添います」と係員のほうを見る。

係員は反応しない。

顔色は悪くなかった。少し痩せたように見えるのは、無地の白いTシャツにスウェットパンツというラフな格好だからなのかもしれない。あるいは拘置所という場所がそうさせるのかもしれなかった。

「ひとり部屋だったのは不幸中の幸いでした。いつでも瞑想することができますからね。私はここで特別良い待遇を受けているのだと思います。普通は、弁護人以外との面談が許されないのだそうです」

「まあ、そうかもしれないね。モニカ・ブランドの社長だからね」

「社長を特別扱いするのはよくありませんね。だからといって、別の部屋には移りたくありませんが」

「そりゃそうだ」ケンは笑った。「それにしても、まさか恩人に関係あるシードフレーズだったとはね。でも義理堅いところはとても君らしい」

「通常はランダムに発行されますが、特別に変えてもらったんです。人とのつながりが未来を変えていく。君が教えてくれたことですよ、ケン」

「そりゃ、そうだけどさ……」ケンは半ばあきれてまた笑う。「その言葉を覚えてるのもすごいよ。

まじめすぎるでしょ」

　ケンの言葉にシュウは微笑む。

「そういえば、君が好きな紙の書籍をいくつか差し入れしておいたよ」とケンが言う。「日本語がいいんだろ？」

「ありがたい」

「君のところの社員が、君が好きそうな本を教えてくれて持ってきたんだよ。『ノンファンジブルミー』全十巻」

「ありがとう、ありがとう。とても嬉しい」

「でも全部読み終わる前に出るんでしょ？」

「そのつもりですね。私にはやるべきことがたくさんあるので」

「まだやるんだね」

「もちろん。諦めないのが私の信条です。今回、私は大きな学びを得ました。段階的には中央集権的なやり方も必要だろうと考えていたけれど、そうではなかった。次は私の理想通り、私らしいやり方で豊かさを追求します。ただ、あの設計書ＮＦＴがどこにあるのか、結局わかってはいないんです。ケン、君は本当に何も知らないんですか」

「君は昔から考えすぎるんだよ。木を見ようとしているうちは森は見えない。どうしてそこまでしてこだわる？」

「インドでの我々の会話を覚えているでしょう？」

「あんなのただの旅の雑談じゃないか」

「私は実現可能だと思っていますよ。テクノロジーは人間を追い越し、いずれ自然そのものになるでしょう。人間の脳機能をメタバースに持ち出すことも、メタバース間を移動させることも、容易になるはずです。そうすれば現実世界で生身の肉体が死んでも人間は永遠に生きられる。これがマルチブレイン計画の目指すゴールです」

「なるほどね、君は本気なんだね」

「……ひょっとして、すでにOASISの外に運び出されたのだろうか？」

「むしろ、そこにあるのだと君が疑いもなく思い込んでいたことが、俺からすると意外だったよ」

「ケン、君はやっぱり……」そこでシュウは何かに気付いたというように目を見開き、アクリル板に顔を近づける。「もしかして、OASIS XXX？」

「残り五分です」係員がケンに声をかける。

ケンは係員に目でわかったと合図する。

「じゃあ、俺はそろそろ行くから。元気でね、ヤン」

「ケン、一つ頼みがある」とシュウが一瞬強い口調になり、すぐにまた普段通りの穏やかな口調で
「妻のことなんですが……」と言う。

「モニカさんか……。今はどこにいるの？　日本にはいないんでしょ？」

「スイスにいます」

「もっと近くの病院に入れてあげればいいのに、なんだってそんな遠いところに」

「妻には世界で最高の治療を受けさせたいんです。ケン、もし可能であれば、数日に一度でいいから、話しかけてあげてほしいんです」

「誰に？　モニカさんに？」

「はい。通話は二四時間つながるようにしてあります。音声だけでいいんです。日本語でも英語でも、どちらでも構わないので」

「いや、何言ってるんだよ。だってモニカさんはもう、何年も寝たきりのまま――」

「彼女には、私の声が聞こえていたんだ」シュウの口調がまた強くなる。「彼女にはたしかに私の言葉が届いていた。それは間違いないんです」

　ケンはその言葉に驚き、シュウの目を見ながら、どこまで本気なのか探ろうとする。

その目には一点の曇りもない。冗談ではないようだ。

そうか、彼は奇跡を信じているんだな……とケンは思う。

そうして一つの考えに思い至った。

「……ヤン、もしかして君は、モニカさんのために……？」

シュウは答えなかった。代わりに、ケンの目を見て微笑んだ。

「それじゃあ、ケン。また会いましょう。たくさん瞑想して自分と向き合ってみます。それまでお元気で」

シュウは係員に連れられて退出した。

シュウとの面会を終え、外に出ると、強い風が吹いていた。拘置所のある小菅は東京でいちばん寒い。

ケンは車を駐車場に停めていた。車の後部座席に乗ると「会社まで」と自動運転車に告げる。車は動き始め、ゆっくりと面会所出入口の門を抜けて東京拘置所から遠ざかっていく。

ケンは面会の間オフにしていたＸＲコンタクトをオンにした。視界にバーチャルディスプレイが立ち上がると、音声通話をかける。

「はい、もしもし」と相手が出る。

「お疲れさま。俺だよ」と相手に返し、こう言う。

「マルチブレイン計画の件だけど、そろそろはじめようか」

二〇三五年、東京拘置所

あとがき

マルチバース時代に向けた本質的で人間らしい豊かさとは

二〇二二年六月八日午後七時。

私は都内にある和食レストランの個室にいた。目の前にいるのは小橋賢児さん。俳優として活躍した後、世界中を旅したり、イベントやプロジェクトを手掛けたり、最近ではパラリンピック閉会式のショーディレクターやシンガポールで行われたイベント「ＳＴＡＲ ＩＳＬＡＮＤ」のプロデューサーを務めた。他にも二〇二五年開催予定の大阪関西万博の催事企画プロデューサーにも就任している。ご縁あって、「一度時間をもらえないか」とお願いしたところからこの会合に至った。

お題は、二〇二二年一月に発表した二〇三五年の近未来メタバース都市「Ｏａｓｉｓ」プロジェクトとそのコミュニティについて。年始からかなり早いスピードで、それぞれのカテゴリーの第一線で活躍するさまざまな著名人とコラボレーションを発表し、質とスピードを両立させながら進めてきた。しかしどこか頭の中でもやもやとしたものがあった。たしかに次世代ＳＮＳといわれているメタバースに華々しい著名人の方々との取り組みはある、しかし肝心のＯａｓｉｓ自体のコンセプトやコミュニティで何を目指すのか、一番コアな部分が自分の中でなんとなくイメージはあったものの、まだ腹落ちしていない状態だった。

少し前に小橋さんとはじめてお会いした時のことを思い出し、今自分の中にあるそのもやもやしたものが、この人に相談すればクリアになる手掛かりがつかめるかもしれないと勘がはたらいたのだ。

彼との話はインドにバックパッカーで旅した話からネバダ州で行われるバーニングマンやデンマークのクリスチャニアなどのイベントや街の話。ホモ・サピエンスの歴史や宗教や禅、哲学の話、はたまたヨガ、ヴィパッサナー瞑想などマインドフルネスの話。そこからメタバース、ＮＦＴ、などのｗｅｂ３テクノロジーの話に飛ぶなど、縦横無尽に話題が駆けめぐる。話のジャンルはバラバラなのだが共通点は三つある。

一つ目は「人間らしい豊かさとは」。ホモ・サピエンスが誕生し、発展していく過程でさまざまな発明をした一つがテクノロジー。我々の生活は豊かになり今やインターネットなしでは生きられない。そして皮肉にも人間が生み出した人工知能は今、人間の知能を超えつつある。豊かになるために発明したはずが、逆に我々が支配され豊かじゃなくなる世の中になるかもしれない。ではこれからの時代、我々はどうするべきなのかという問いである（とはいってもうまく寄り添って生きていくしかないが）。

二つ目は「自己との対峙」。人間が何を豊かと感じるかは当然のことながら一人ひとりの価値観によって異なる。外部環境からの機会によって良くも悪くもいろんなものに触れたとしても結局そこから何を感じ取ってどう受け止め、行動するかは自分次第だからだ。自分次第なのであればネガティブよりはポジティブに考えたいし、相手は変えられないので他責というよりは自責で考え、自分と向き合い葛藤しながら内面を磨いて変化させていくしかない。すべては自己対峙でしかないね、という話。

そして最後の三つ目が「コミュニティ」だ。自己対峙した上で人間らしい豊かさについて考えた時、その豊かさの一つは人と人とのつながりだろう。そもそも我々は日々さまざまなコミュニティの中で生きている。家族、職場、学校、恋人……大なり小なりそこで演じるキャラクターは異なる。楽しい時もあればストレスに感じるときもあるだろう。そして、ほぼすべての人は誕生してからいつか来る死ぬ日まで、完全に一人のままでは生きることはできない。ではこの人生をご機嫌に過ごすときの人間らしい生き方として、ありのままの自分で良いと自分で自分を受け入れることができたり、その上で心からこうなりたいと思えたり、それを無条件でたがいに受け入れ合う仲間がいたらどうだろうか。その集合体がコミュニティだ。ポーランドの社会学者ジグムント・バウマンがいうには、コミュニティとは「温かいサークルのようなもの」でコミュニティに応じた自然に生ずる共通の理解があり友好的な集まりなのだ。

そんな人生の意味を問うような本質的なテーマを肴に時間はあっという間に過ぎていった。縁があって何かのコミュニティを創る機会があるなら気分転換になる表層的に楽しい集まりもいいけれど、（言い方は悪いが）どうせ創るならやはりかかわる人たちの人生や社会にとってより良い方向に変わるきっかけや意味があるものにしたい。傍観者や批評家ではなく主体者や実行者としてそのプロセスの中で自分自身の内面も磨きたい。そしてｗｅｂ３の新時代に合わせてこれをコミュニティとして立ち上げ、かかわるメンバーで共創したいという気持ちとつながっていった。

＊

二〇二二年六月二二日。私はアメリカ、ニューヨークにいた。世界最大級のＮＦＴイベント「NFT.NYC」に参加するためだ。NFT.NYCは、世界中のＮＦＴのリーダー、インフルエンサー、エンジニア、ファンをつなぐイベントで、約一万五〇〇〇人が集まったと言われている。ＮＦＴにかかわる人や情報が集まり、ＮＦＴの現在の利用用途を超えた活用を促進すべく、活発な議論が行われた。

「ＮＦＴ＝コミュニティアクセス権」

正確に書くと、ＮＦＴのユーティリティ（利用用途、特典のようなもの）で現在ど真ん中にあるのが何らかの「ＮＦＴコミュニティに入るための会員権のようなもの」ということだ。

インターネット登場以降、インターネットを手段としたコミュニケーションの仕方は変わってきた。ｗｅｂ1が企業や個人がウェブサイトをつくり、一方向に情報を発信する。ｗｅｂ2は企業や個人がSNSを活用して双方向に情報をやり取りする。そしてｗｅｂ3は企業や個人がNFTや暗号資産などのトークンを発行・配布・販売などを通してトークンホルダーを巻き込んでコミュニティを形成しコミュニティ内でコミュニケーションをする。現在ほとんどの企業がウェブサイトをもっているように、今後多くの企業や個人が当たり前のようにトークンを発行するようになると言われている。ｗｅｂ3を構成する要素は他にもあるが、これが一つの大きなポイントだ。

イベント期間中はタイムズスクエア近くの劇場で講演やミートアップ、周辺のクラブスペースやギャラリーで、さまざまなパーティーやイベントが行われた。今回のテーマは「The Diversity of NFTs（NFTのダイバーシティ）」。テーマにある通り、NFTはさまざまな領域、ビジネスドメインとのコラボの可能性があり、まさにNFTの未来は多様性に富んだものであることを体感。

その中でもっとも印象的だったのはYugaLabsが運営する世界でもっとも有名なNFTプロジェクトBored Ape Yacht Club（通称BAYC）。価格は相場により変動するが当時の価格で一つのN

ＦＴが約五〇〇〇万円することもある。ニューヨークのベイエリアPier17で開催されたＮＦＴホルダー限定イベント「ApeFest 2022 in NYC」ではトップアーティストが登場したり、そこでしか買えない限定グッズが販売されたり、ＢＡＹＣコミュニティは大いに盛り上がった。他にもAzuki、Doodles、CloneXなど世界最先端の人気ＮＦＴプロジェクトなどがある。

Yuga Labsはｗｅｂ３時代のディズニーになるのか、彼らが所有している他のＮＦＴプロジェクトのさまざまなキャラクターをクロスさせてストーリーを作り映画化を発表したり独自の世界観を表現するメタバースをつくっていたり、そのプロセスで有名企業やアーティストとコラボレーションを発表している。すべてがある一連の物語の中で行われているので一貫性があるのだ。そして多くの人々がこのストーリーやコンテンツ、謎めくワクワク感に魅了されてコミュニティは盛り上がっているのだ。

＊

一般的に商品やサービスで価値を提供するとき、その価値は大きく二つあると言われている。一つは商品の性能や品質に関する機能的価値。もう一つは商品を利用する際に精神的に体感できる「情緒的価値」。ＮＦＴはアートや音楽、ファッションなどに使われることも多く、この情緒的価値と相性が良いと言われている。この情緒的価値はビジネス書のような体系的にまとめられたものではなく、ストーリーの方がわかりやすくイメージできる。これが、以前編著した『ＮＦＴの教科書』のようなビジネス書ではなく、物語として制作している理由だ。

現実世界はある角度から見るとあまりに完成し過ぎている。良いこともたくさんあるが非情で競争的で不安定で不確実だからこそストレスフルな側面もある。だからこそ、ゼロからつくるメタバース上のアバターを使っていつもとはまた違う自分になり、日々の生活で知らず知らずのうちに覆い被さったしがらみや固定観念を外して自分を解放してみる。その自分と向き合って受け入れる。そしてその後に心の底から自然に出てきた想いに素直にしたがってなりたい自分になる。そんな外向きのポジティブなエネルギーであふれた人は、バーチャルを超えて現実世界にも変化をもたらしていく。そんな人間の集合体＝コミュニティができれば世の中がもっと豊かになるんじゃないか、というのが冒頭の問いに対する現時点の答えだ。

メタバース上のアバターを使ってまわりを気にせずにいつもとは少し違う私を演じてみることで望む変化のきっかけになるなら、これはとても良いことだと私は考える。その前提でメタバース上の私は現実世界の私とそもそも何が違うのか。現実の自分とメタバースの自分は、完全に独立しているのではなく、私という人間の脳や心の中で演じ分けているだけで、表現する生身の体がアバターには変わるが根っこにある自分自身の意識は一つだけ。どこまで行っても自分は自分のままでしかなくて、結局その自分のアイデンティティと向き合い続けていかないといけない。

本書のタイトルでもある「ノンファンジブルミー＝代替不可能な自分」に対して、「自分とは一体何者なのか？」と改めて考えてみることは、もしかしたらあなたの人生を豊かにするためのきっかけになるかもしれない。そしてあなたにとって人間らしい豊かな未来に向けたフィクション・物語をあなたの中で描いてほしい。そうなることを心から願って本書のあとがきとさせていただきたい。

最後に、本書執筆にあたり、たがいにアイデアを出しあいながら粘り強く向き合ってくれた山田宗太朗さんの多大なる貢献に深く感謝します。

二〇二三年三月末　天羽健介

天羽健介　Kensuke Amo

コインチェック株式会社常務執行役員。大学卒業後、商社を経て2007年株式会社リクルート入社。複数の新規事業開発を経験後、2018年コインチェック株式会社入社。主に新規事業開発や暗号資産の新規取り扱い、業界団体などとの渉外を担当する部門を統括。2020年より執行役員として日本の暗号資産交換業者初のNFTマーケットプレイスや日本初のIEOなどの新規事業を創出。2022年6月に常務執行役員に就任。同社におけるweb3領域の事業責任者としてNFT事業、メタバース事業などをリードする。日本暗号資産ビジネス協会（JCBA）NFT部会長。著書に『NFTの教科書』（朝日新聞出版）。

ノンファンジブルミー
メタバース時代（じだい）の私（わたし）は何者（なにもの）か

2023年4月30日　第1刷発行

著　者　天羽健介

発行者　宇都宮健太朗

発行所　朝日新聞出版
〒104-8011 東京都中央区築地5-3-2
電　話　03-5541-8832（編集）
03-5540-7793（販売）
印刷所　大日本印刷株式会社

Published in Japan by Asahi Shimbun Publications Inc.
ISBN 978-4-02-251901-6